SO-BRC-382

LAZARILLO DE TORMES

*

VIDA DEL BUSCON DON PABLOS

LAZARILLO DE TORMES

*

VIDA DEL BUSCÓN DON PABLOS

DE

FRANCISCO DE QUEVEDO

Estudio preliminar de
GUILLERMO DÍAZ-PLAJA

Vigesimosegunda edición

EDITORIAL PORRÚA
AV. REPÚBLICA ARGENTINA, 15
MÉXICO, 1998

Primera edición en la Colección "Sepan Cuantos...", 1965

Derechos reservados

Copyright © 1998

El prólogo y demás características de esta edición son propiedad de la
EDITORIAL PORRÚA, S. A. de C. V.   2
Av. República Argentina, 15 altos, Col. Centro, 06020, México, D. F.

Queda hecho el depósito que marca la ley

ISBN 968-452-925-2 (Tela)
ISBN 970-07-0033-X (Rústica)

IMPRESO EN MÉXICO
PRINTED IN MEXICO

ESTUDIO PRELIMINAR

LA PALABRA "PÍCARO"

El primer problema que presenta el estudio del género llamado novela picaresca es el de averiguar la significación de la palabra *pícaro*. Una abundante bibliografía[1] testimonia el interés que la cuestión ha despertado. Vamos a seriar las distintas hipótesis:

a) Derivado de *picar*, en el sentido de cortar. Aplicado a los mozos de cocina, ayudantes de mesones, etc.[2]

b) Procedente de *picar*, en el sentido de robar.

c) Significante de portador de "pica", es decir, soldado.

d) Étimo de "picardo", de la región de Picardía; alusivo, pues, a uno regresado de la guerra de Flandes.

e) Proveniente de la razón árabe *bikaron*, que significa "madrugador".

f) Transmutación de la raíz indogermánica *fkr*, en sentido de pobre (compárese "fakir").

g) Préstamo lingüístico del inglés "beggar", es decir, mendigo (compárese: "bigardo").

---

[1] Covarrubias: *Tesoro*, Academia: *Diccionario de Autoridades;* Sanvisenti: *Alcune osservazioni sulla parola "picaro"*, "Bulletin Hispanique", XVIII, 1916, págs. 237-246; Bonilla San Martín: *Etimología de "pícaro"*, "Revista de Archivos, Bibliotecas y Museos", vol. V (1901); de Haan: *Pícaros y ganapanes*, en "Homenaje a Menéndez y Pelayo"; Nykl: *"Pícaro"*, en "Revue Hispanique, 1929"; Spitzer: *"Pícaro"*, en "Revista de Filología español", 1930; Sanvisenti: *"Pícaro"*, "Bulletin Hispanique", 1933, XXXV, 297-298; Peseux Richard: *A propos du mot* "picaro" en "Revue Hispanique", 1933; G. Cirot, *íd.*, "Bulletin Hispanique", 1932; T. E. May: *"Pícaro" a suggestion*, "The Romance Review", XLIII, 1952; J. Corominas: *Diccionario Crítico Etimológico*, III, 768.

[2] Se llaman en las cocinas aquellos mozos que se introducen a servir en los ministerios inferiores para que les den algo de lo que sobra, por no tener asignación alguna de sueldo (*Diccionario de Autoridades*, 1737).

h) De "pikharti", herejes vagabundos, seguidores de la doctrina de Pedro de Valdo.

NOMADISMO Y AZAR

De este despliegue de etimologías se deduce un carácter común: el de referirse a un ser que vive un poco al margen de la "carrera social". Dentro de la escala de valores establecida, bien en el campo "plebeyo" —del campesino al artesano—, bien en el campo "señorial" —del hidalgo al aristócrata—, no cabe la "profesión" del pícaro. No se gana la vida con un oficio mecánico —con las "manos"—, tarea entonces incompatible con la nobleza (Velázquez tuvo que declarar que pintaba por "afición" para ser admitido en la orden de Santiago), ni tiene alcurnia suficiente para vivir sin trabajar. Es un semiocioso, en lo cual se asemeja al soldado, de quien, en ocasiones deriva, como hace pensar una de las etimologías y parecen indicar los famosos versos cervantinos:

> Un valentón de espátula y gregüesco
> cuya vida mil vidas sacrifica
> cansado del oficio de la pica,
> pero no del oficio picaresco...

Es condición fundamental del pícaro ser un nómada, como suelen serlo los seres que viven al margen de la sociedad estabilizada (por ejemplo, los gitanos). Es, por otra parte, un parásito que necesita de la sociedad estable para vivir. Su menester general es el de "mozo de muchos amos"; es decir, es un criado "sui géneris", porque cambia constantemente no sólo de patrón, sino casi siempre de sitio. Por eso la picaresca es una novela "itinerante", un relato que tiene por escenario los caminos y que suele hallar sus nudos narrativos en las "ventas" que se alzan en las encrucijadas, lugar apropiado para los encuentros que le depara su próspera o adversa fortuna. Caracteriza, pues, al pícaro su incesante búsqueda de nuevos caminos, aunque esta

"inquietud" aparezca obligada, casi siempre, por las circunstancias. No se ha subrayado bastante la importancia que tiene el
"azar" en la novela picaresca. A diferencia del hombre esta-
bilizado, cuya previsión para el futuro es objeto fundamental
de sus desvelos, el "pícaro" lo espera todo de la casualidad que
le sobreviene; en esto se parece al "caballero andante", cuya
condición marginal le lleva siempre a lo extraordinario: el
monstruo desaforado o la aventura medrosa (o, a convertirse,
él mismo, como Don Quijote, en criatura extraña y risible).
El pícaro, como el caballero andante o como el soldado, pertene-
ce a la misma condición de trashumantes y, por "lo que
pudiera parecer", no se olvidan —como Rinconete y Cortadillo— de llevar armas y de tratarse ceremoniosamente. Por lo
demás, el ejercicio de la milicia se encuentra en su biografía,
bien como necesidad, bien como obligación, requeridos por leva,
bien como castigo.

Es interesante relacionar estos modos de vivir, por cuanto
—como se ha encargado de establecerlo la doctrina crítica sobre
este género literario— el *pícaro* es, como el caballero y el
soldado, un héroe; sólo que un héroe al revés: un antihéroe.[8]
Es un "antihéroe a la fuerza". En general, al pícaro le viene dada su condición de su circunstancia familiar. Ignorante
como Lazarillo, o letrado como Guzmán, es la falta de pecunia
la que le impele a ganar su existencia por los caminos del mundo. La vida le ha hecho así. "Consideren —dice Lazarillo antes
de comenzar el relato de su vida— los que heredaron nobles
estados cuán poco se les debe, pues fortuna fue para ellos parcial, y cuánto más hicieron los que, siéndoles contraria, con fuerza y maña remando salieron a buen puerto."

---

[8] V. el excelente artículo de J. Frutos Gómez de las Cortinas: *El antihéroe
y su actitud vital* (*sentido de la picaresca*), en "Cuadernos de Literatura". Madrid, 1950, 19-21. La designación de *antihéroe* fue ya utilizada en los últimos
años del siglo XIX por Chandler, en su excelente estudio *La novela picaresca
española.*

PICARESCA Y LIBERTAD

No se puede decir de modo absoluto, sin embargo, que la vida del pícaro constituya la *biografía no deseable* [4] apoyándose en la ya famosa contraposición con la figura del héroe. La picaresca era tanto como una penosa serie de peripecias, un ancho camino de libertad. Como los aristócratas romanos sentían, al leer la *Germania* de Tácito, ansias de conocer un mundo sin normas, abriendo el camino a la larga teoría de los "villanos del Danubio" capaces de exigir ante el mismísimo senado de Roma la continuación del ejercicio de su libertad, así también la picaresca pudo ser en el siglo XVI —cuando se iban cerrando las estructuras sociales en torno al patrón de la Monarquía— algo parecido a lo que ayer fueron las delicias de la vida bohemia y hoy las libertades de los "teddy boys". Recordemos que, en *La ilustre fregona*, Cervantes nos ofrece el ejemplo de dos jóvenes de buena familia que optan por "vivir su vida". "Allí campea la libertad y luce el trabajo; allí van o envían muchos padres principales a buscar a sus hijos y los hallan, y tanto sienten sacarlos de aquella vida como si los llevaran a dar muerte." Los detalles que da Cervantes sobre la "organización" de la vida picaresca en las almadrabas dan la impresión de una existencia "colegiada". Análogamente I. de Luna, en la *Segunda parte de la vida del Lazarillo de Tormes*, dirá nada menos que esto: "Si he de decir lo que siento, la vida picaresca es vida que las otras no merecen este nombre; si los ricos la gustasen dejarían por ella sus haciendas, como hacían los antiguos filósofos, que por alcanzarla dejaron lo que poseían; digo por alcanzarla que la vida filosófica y picaril es una... De manera que la vida picaresca es más descansada que la de los reyes, emperadores y papas. Por ella quise caminar como por camino más libre, menos peligroso y nada triste." [5]

Y recordemos análoga actitud en la *Vida del pícaro:*

---

[4] M. de Riquer: *La Celestina y Lazarillos*, Clásicos Vergara, prólogo.
[5] *La novela picaresca española*, Madrid, Aguilar, 1962, pág. 127.

¡Oh pícaros, amigos deshonrados
cofrades del placer y de la anchura
que libertad llamaron los pasados!
...¡Oh vida picaril, trato picaño!
Confieso mi pecado: diera un dedo
por ser de los sentados en tu escaño.[6]

Anotamos estos textos para hacer notar, ya desde el principio, que nos hallamos ante una temática sumamente compleja
ante la que, cada vez más, son peligrosas las generalizaciones
caracterizadoras.

LA CIRCUNSTANCIA SOCIAL

Es evidente, en cualquier caso, la condición desvalorizadora
del vocablo pícaro. El *Diccionario de Autoridades* de la Real
Academia Española (1737) trae "baxo, ruin, doloso, falto de
honor y vergüenza"; "dañoso y malicioso"; "astuto, taimado y
que con arte y disimulación logra lo que desea"; "se toma a veces
por chistoso, alegre, placentero, y decidor", despliegue semántico que cubre bastante bien la diversidad de actitudes humanas
que pueden aducirse con esta palabra.

Establecer la categoría real del pícaro en la vida española
de los siglos XVI y XVII es más tarea de sociólogos e historiadores que de la crítica. Digamos recogiendo la opinión de los
primeros, personificada en las investigaciones de Rafael Salillas,
que la picaresca es "una forma del hampa"; que "el axioma
del autor picaresco que asegura que... *pobreza y picardía salieron de la misma cantera,* se viene a enlazar con el principio biológico que afirma que la evolución de la personalidad es la
propia evolución de la nutrición"; que "la movilidad de la base,
por diseminación de los elementos nutritivos sustentadores, equi-

---

[6] *Vida del pícaro compuesta por gallardo estilo de tercia rima,* "Revue
Hispanique", 1902.

vale a un estado social que se llama *nomadismo*".[7] Así pues, pobreza y nomadismo caracterizan sociólogamente al pícaro.

En cuanto al encuadre histórico, desde el punto de vista económico social bastarán, por su terrible fuerza, estas palabras de Santiago Sobrequés insertas en la gran *Historia Social de España y América,* dirigida por Jaime Vicens Vives:

"Haebler nos ha dicho que, a mediados del sigio XVI, había en Castilla unos 781,582 vecinos pecheros y 108,358 hidalgos. Aceptando esta evaluación, el número de hidalgos castellanos rebasaría el 13 por 100 de la población total. El cálculo parece exagerado, sobre todo si tenemos en cuenta que para fines del siglo XVII se da la cifra de 625,000 nobles, en números redondos el 10 por 100 de la población total.

"Sobre los 5.500,000 individuos idóneos para las tareas productivas en la España de los tres primeros Austrias, excluida la población morisca, influyeron negativamente, además de la emigración a Indias, dos factores que se consideran fundamentales: el esfuerzo bélico exigido por las empresas exteriores de Carlos V y Felipe II, y la vanidad de las grandes casas nobiliarias, que tomaban a su servicio gran número de criados.

"En cuanto a la vanidad nobiliaria, los memoriales de la época abundan en lamentaciones sobre la creciente propagación de la plaga social de servidores que viven en la ociosidad y sólo sirven para la ostentación de la soberbia."[8]

---

[7] Salillas: *El delincuente español. Hampa,* Madrid, 1903. V. del mismo autor: *El delincuente español. El lenguaje,* Madrid, 1896.

[8] Ob. cit., III, págs. 30, 32. "También aumentó considerablemente el número (150,000 a finales del siglo XVI) de mendigos" (*Id.,* pág. 27). Faltó, sobre todo, el *homo aeconomicus* capaz de convertir en realidad los innumerables proyectos de los fantásticos *arbitristas* de la época, de los que se burla, como vemos, Quevedo, en el Libro Segundo de su *Buscón.* Faltó, en última instancia, una burguesía clave de la sociedad floreciente que iba surgiendo en Europa. Como dice un autor: "Entre su exposición teórica (la de los arbitristas) y su concreción práctica, faltó el legislador y faltó el hombre de empresa al modo como proliferaba ya en Amberes. Debe también reconocerse que también faltó en esencia la clase burguesa, de donde por ley natural debiera haber surgido ese hombre de empresa. Ello debido ante una especial actitud ante la vida, observada claramente por los extranjeros que viajan en aquella época por la Península. El agudo ojo del embajador florentino Guicciardini percibió en 1512

EL PUNTO DE VISTA DEL RENCOR

Encuadrada así, la picaresca adquiere un valor de síntoma histórico, económico y sociológico de valor indudable. Se trata ahora de presentar los valores literarios que ofrece este cuadro, en la medida que la situación del pícaro nos permite gozar de un punto de vista nuevo en la literatura: la sociedad vista desde abajo, y, para decirlo de una vez, la sociedad vista *desde el punto de vista del rencor.* Hasta este momento la literatura giraba en torno de los mejores en el heroísmo o la santidad. No faltaba, pues, la alusión a lo minúsculo, a lo miserable. De cuando en cuando en el *Libro del Buen Amor,* de Juan Ruiz, o en *La Celestina,* de Fernando de Rojas, aparecía el "submundo" de los de abajo. Un famoso relato en verso escrito en catalán, por Jaime Roig (el "Spill", o espejo), tiene sabor picaresco, como el mundo de los mendigos aparece con tremenda fuerza en los relatos árabes o *Maqamat* de El Hariri.[9]

Pero lo importante, como novedad en la literatura picaresca, no es que el mendigo protagonice el relato sino que sea él mismo su relator. Obsérvese que se trata no sólo de una "revolución" por el que el de abajo pasa a ocupar la posición del de arriba, sino que lo que va a cambiar es el modo de interpretar el conjunto social. Cuando el caballero realiza una hazaña está seguro que habrá quien la recoja; es la misión inferior pero necesaria del letrado, que queda justificado por una misión que hoy llamaríamos social: la de dar fe y testimonio

---

que los españoles "no se dedican al comercio, considerándolo vergonzoso, porque todos tiene en la cabeza ciertos humos de hidalgo, y se dedican con preferencia a las armas, con escasos recursos, o a servir a algún grande con mil trabajos y miserias..." ¿No encaja esto con aquel escudero a quien sirvió por su desdicha el Lazarillo de Tormes? Añadimos a ello la subida de los precios: que venía de las entradas de oro procedente de las Indias. "Los españoles —afirma— esperaban enriquecerse por la posesión de El Dorado en Nueva España y en el Perú"; M. Fernández Alvarez: *Monarquía, sociedad, corona.* Madrid, 1962, págs. 78 y ss.

[9] A. González Palencia: *Del "Lazarillo" a Quevedo,* Madrid, 1946, páginas 4-9.

de las hazañas. El tema está perfectamente establecido por la
historiografía actual. Recojamos, pues, sin más, el concepto tal
como lo elabora Pedro Salinas:

"El proceso inventivo del que nace el pícaro es un proceso
de contradicción, de definición por los contrarios. El nuevo personaje era una contradicción deliberada del héroe, lo mismo en
su personalidad total que en los detalles de sus actos. Se pueden
delinear con precisión las características del pícaro tomando las
cualidades y atributos del héroe y del caballero y volviéndolo
al revés. Ideales son los que mueven al héroe. El pícaro carece
de ideal y únicamente responde a estímulos inmediatos y mate-
rialistas. Detrás de las hazañas del héroe laten constantemente
los impulsos de honor, amor y valor. El pícaro no siente "las
cosas de la honra", es cobarde y jamás se deja arrastrar por el
amor, pasión que en las novelas de caballería determina muchas
de las acciones del caballero. En suma, el pícaro es un caballero revesado.

"En cuanto a la estructura, un poema, una novela con protagonista heroico es muy similar a la picaresca. Consiste en la
superposición mecánica de aventura sobre aventura. Naturalmente, y en correspondencia con la oposición entre héroe y
pícaro, la aventura de caballería y la de picardía están en vio-
lento contraste. Poderosos seres sobrenaturales: dragones, mons-
truos o gentes dotadas de poderes mágicos, hechiceros y encan-
tadores, son los enemigos que le salen al paso al héroe; les
da batalla en escenarios fabulosos, entre choques de armas y
presagios de gloria. El pícaro por su parte tiene enfrente otros
adversarios: la satisfacción de las necesidades materiales ele-
mentales, la falta de abrigo, el hambre, y sus peleas ocurren
en lugares comunes de la realidad; las armas que ponen en
juego son el ingenio, su agudeza y su arte de engañar y de
escaparse cuando se descubre el engaño. No deja detrás una
estela de gloriosas hazañas ni espléndidas memorias, sino un
expediente criminal. Chandler, en su libro sobre las novelas
de picardía, le llama un antihéroe, designación que no acabo de
aceptar. Puede ser válido si se refiere a los orígenes del perso-

naje que, como hemos visto, fue concebido como una contradicción a algo y a alguien. En este sentido sí que empieza por ser un *anti* y así acabamos de explicarlo. Pero según se desarrolla su carácter y el pobre Lazarillo, pícaro primero, va creciendo, se asienta como un héroe literario positivo que vale por lo que afirma tanto como por lo que niega. Y sólo los enterados del discurrir de la literatura del siglo dieciséis distinguen sus primitivas características de antihéroe."

"Sin embargo, la denominación de Chandler aclara mi tesis. Tiene razón en llamarlo antihéroe tan sólo si emplea la palabra acorde con las tres acepciones primeras, es decir, en cuanto que es opuesto como tipo humano al héroe. Pero si tomamos el vocablo en su segunda fase como personaje principal o protagonista de un libro, es tan héroe como otro cualquiera. Es innegable que los novelistas españoles del Siglo de Oro auparon a este vulgar e innoble tipo humano a las alturas que hasta entonces habían sido reservadas para personas de nobleza y virtud. No es un solo autor, son muchos los que dan al pícaro este papel principal en la novela. Y por eso veo en la literatura española en esa época una evidente voluntad de volver la espalda a la antigua concepción del héroe literario, y encontrar para una edad nueva un héroe nuevo. La originalidad, la audacia de este cambio estriba, no en la admisión a la literatura de figuras de gentes pobres humildes o apicaradas, que, como ya dijimos, existían desde la Edad Media, sino en la elección para el héroe literario, para favorito de la atención del lector, de una de ellas." [10]

Correspondería ahora analizar lo que pudiéramos llamar determinación geográfica del género. ¿Es la novela picaresca una producción exclusivamente española? El propio Salinas ha señalado [11] los riesgos de confundir la circunstancia físicosocial

---

[10] *El héroe literario y la novela picaresca española* en "Revista de la Universidad de Buenos Aires", enero-marzo de 1946, pág. 82.

[11] "Me parece un error de la crítica positivista y sociológica del siglo XIX el considerar la picaresca exclusivamente como resultante del estado social de España. Sólo con probar algo que nadie niega, la abundancia de vagabundos, pícaros y ladronzuelos de este período, dan por sentado que de ella se seguía

con la coyuntura histórica que convierte dichas realidades en modelos. Que la realidad económicosocial daba prefabricados a los héroes de la picaresca es tan evidente como los datos que hemos alineado en párrafos anteriores. Margheritta Morreale [12] ha podido comprobar con documentos jurídicos la realidad social del momento en que aparece el Lazarillo de Tormes.

LA SITUACION GEOGRAFICA

Pero ya Chandler [13] había establecido precedentes de novela picaresca española desde el *Satíricón*, de Petronio, y *El asno de oro*, de Apuleyo, pasando por las *Danzas de la Muerte* y el *Roman du Renart*, sin olvidar "fabliaux" como *Los tres ladrones*, de Juan de Boves, o *Los Ciegos de Compiègne*, de Courte-Barbe, el *Liber Vagatorum* alemán de 1510, o el famosísimo *Till Eulenspiegel*,[14] pasando por innumerables relatos que re-

---

inevitablemente la aparición del género picaresco, al que miran como fruto de la decadencia económica del Imperio español. Incurren con eso en su frecuente falacia de ver en la literatura una fuerza reproductiva, imitativa, de una realidad social inmediata, sin dar el valor primario que se merecen a la voluntad de creación, a las urgencias de la fantasía imaginadora. Casi todos los posibles tipos literarios, los supuestos *modelos vivos*, han estado siempre ahí. Pero ¿por qué una época escoge a unos y sigue ciega para otros? De seguro había en España de muy antiguo pícaros y trotamundos, y no obstante los novelista los ignoraban y volvían su atención al caballero andante, al pastor de égloga, a otras figuras que no solían ya andar por los caminos. La crítica moderna, Chandler, Pfandl, Castro, se ha acercado a la picaresca desde otra mira: la literaria y no la social. Y se ve claro que los autores de novelas picarescas no captaron a su héroe de la realidad social de España, donde vivía ya tantos años, por casualidad o por simple espíritu reproductivo o documental realista, sino por razones venidas, en gran parte, del estado de la novela en estos tiempos" (ob. cit.).

12 *Reflejos de la vida española en el "Lazarillo"*, "Clavileño", nov.-dic., 1954. Por ejemplo, el acuerdo de las Cortes de León y Castilla celebradas en Valladolid, 1548, en que alaban a "las personas piadosas que an dado orden que aya colegio de niños y niñas, deseando poner remedio a la gran perdición que de vagabundos, huérfanos y niños desamparados avía..."

13 Chandler: ob. cit., ed. esp., págs. 4-8.

14 La peripecia del *Till Eulenspiegel* solo muy lejanamente es picaresca.

flejan, en las literaturas francesas o italianas, vidas de mendigos
agrupados en cofradías como la de la "cour des miracles", de
París. Y recientemente Marcel Bataillon ha insistido en la con-
veniencia de estudiar *El Lazarillo de Tormes* más que como
obra artística que como reflejo documental.[15]

Creemos que un prudente equilibrio entre ambas posiciones
contiene menos riesgos de equivocación. Dígase lo que se quiera contra las que un día fueron exageraciones del determinismo,
la "circunstancia" es un factor de importancia muy considerable.

Por ejemplo: una de las interpretaciones más agudas de la
picaresca es, a mi juicio, la de Manuel Criado de Val, para quien
este género literario significaría una desvalorización del mundo arcaico asentado en Castilla la Vieja desde los puntos de
vista que aporta Castilla la Nueva. "La ironía toledana no podía
por menos de advertir la decadencia del espíritu caballeresco,
representativo del viejo castellano nórdico. El ambiente de una
ciudad como Toledo, llena de cortesanos y parásitos, era, por
otra parte, un campo muy propicio para que abundasen los modelos del pícaro, en todos sus variantes: mendigos, celestinas,
rufianes, y sus necesarios complementos: escuderos, arciprestes
contagiados de goliardismo, bulderos, etc." [16]

Es, en efecto, muy notable el hecho de que el hidalgo pobre
y fanfarrón, que —como relata Lazarillo— "contóme su hacienda y díjome ser de Castilla la Vieja, y que había dejado
su tierra no más de por no quitar el bonete a un caballero su
vecino". Esta quisquillosidad en contrapunto a la miseria, el
culto a la mera apariencia, la exhibición de su espada inútil y
de su contoneo "con un paso sosegado y el cuerpo derecho
haciendo con él y con la cabeza muy gentiles meneos",[17] com-
pleta la visión del hidalgo vallisoletano por más señas [18] dando
la debida importancia al factor geográfico.

---

[15] *El sentido del Lazarillo de Tormes,* París. Les Editions Espagnoles, **1961.**
[16] *Teoría de Castilla la Nueva,* Madrid, Gredos, 1960, págs. 334-335.
[17] *La novela picaresca española,* ed. Aguilar, pág. 99.
[18] "Mayormente —dijo— que no soy tan pobre que no tenga en mi tierra
un solar de casas que, a estar ellas en pie y bien labradas, dieciséis leguas

REALISMO Y EXPRESIONISMO

Observemos que todo esto nos obliga a colocarnos en una actitud de cautela ante lo que suele denominarse el realismo de la novela picaresca. Que los elementos que se describen en dichos relatos pertenecen a la realidad no puede dudarse. Pero la realidad es mucho más compleja. Y cuando recorremos el repertorio de los seres y las cosas que discurren por la novela picaresca, percibimos en seguida que el autor ha procedido a una selección previa en busca de aquellos que le parecen más significativos. La realidad que se describe en el "Lazarillo" o en el "Buscón" existe en la España que circunda al escritor, pero ha sido previa y maliciosamente seleccionada por éste. El plano de nobleza o no existe o hace que lo contemplemos desde una actitud devalorizadora. La novela picaresca es, pues, un acto de sabotaje a los valores de altura espiritual y, en este sentido, realiza una selección orientada en la captura de los elementos expresivos, acentuando sus rasgos en detrimento de los que conviene ocultar, siguiendo la técnica de los pintores expresionistas. La visión de lo negativo es una falsificación —un antirrealismo— si su presencia prescinde de los valores afirmativos. Es, pues, una estilización hacia lo deforme, lo monstruoso o lo abyecto. Porque está al servicio de una idea que está por encima de la mera presentación de las cosas —buenas y malas— tal como aparecen en nuestro contorno. Esta jerarquización a la inversa se explica, como veremos, por la intencionalidad última de este género literario.

PLANO HISTORICO

Ciertamente, si la novela picaresca contiene el reflejo de una realidad geográfica y social, deberá estar informado de una rea-

---

de donde nací, en aquella costanilla de Valladolid, valdrían más de doscientas veces mil maravedíes, según se podrían hacer grandes y buenas" (ed. cit., página 103).

lidad política. Entre la fecha en que se supone escrito el *Lazarillo* y las que contornan la redacción de *Guzmán de Alfarache* y del *Buscón* circula un amplio movimiento histórico que va desde el momento culminante de la existencia de Carlos V a la melancólica atonía que marca el descenso del poder español ya desde Felipe III. Esta depresión viene caracterizada por el abandono sucesivo y progresivo de los grandes ideales colectivos de la Monarquía española. Por esta razón, la figura del pícaro, apenas significante junto al héroe de las grandes jornadas imperiales, va adquiriendo una más grave y honda significación, aumentando cada vez el valor de reflexión melancólica o cínica ante el sucederse de la Historia. La actitud que hemos llamado de sabotaje, adquiere ahora una nueva significación. Se menosprecian los valores afirmativos —el heroísmo, el honor, la fama— en la medida que el implacable devenir histórico les va negando a la colectividad.

Esta declinación, y la infravaloración que la acompaña, tiene su contrapartida en la línea ascendente que, después de Trento, adquieren los valores morales de la Reforma Católica, llamada con menos propiedad Contrarreforma. Aunque parezca a primera vista, poco probable, también la novela picaresca puede ofrecerse como reflejo de este factor de la vida española de los siglos XVI y XVII.

EL PLANO TRASCENDENTE

Que este factor debe ser tenido en cuenta lo exigen, además, los elementos de trascendencia que sobre nuestra geografía se asientan de un modo fuertemente caracterizador. Además de la circunstancia física existen en torno a la picaresca unas circunstancias morales religiosas. La novela picaresca es tanto más "típica" en cuanto refleja estas específicas circunstancias, y así lo vieron los europeos de aquel tiempo.[19] Cuando José

---

[19] La traducción francesa del *Segundo Lazarillo*, de I. de Luna, 1561, se titulaba *L'Histoire plaisante et facétieuse de Lazare de Tormès, espagnol*,

María Valverde estima que "el motivo predilecto de la picaresca
es el desenmascaramiento de la hipocresia y de la falsa virtud",[20]
señala unos valores que van más allá de los estéticos, de los
meramente literarios, para incidir, como veremos al tratar del
Lazarillo, en el problema polémico del erasmismo español y
en el plano de la conducta humana.

De ahí se deriva una tendencia crítica que ve en la novela
picaresca una actitud moralizante. Fue Herrero García quien,
'n 1937, lanzó la idea de aproximación de la picaresca a la
ascética,[21] llegando a la conclusión de que "la novela picaresca
es un sermón con alteración de proporciones de los elementos
que entran en su combinación". Utilizando un procedimiento
usual en la predicación, por el que un "ejemplo" ilustra la ar-
gumentación moralizante, la novela picaresca expondrá sucesos "reales" de los que debe deducirse la correspondiente enseñanza, la "parte doctrinal", que, si en el *Lazarillo* aparece solamente insinuada, en el *Guzmán de Alfarache* alcanza proporciones fatigosas, como corresponde a un autor como Mateo
Alemán, capaz de escribir, además, una *Vida de San Antonio
de Padua,* al modo como Quevedo redactó el *Buscón Don
Pablos* y la *Providencia de Dios.* Por eso el pícaro cuenta
su vida desde su vejez desengañada, como "atalaya de la vida
humana" desde que se observa la realidad de las cosas, creando
así la verdadera "novela picaresca", ya que —según Herrero
García— el *Lazarillo* no sería sino un precedente no carac-
terístico, un simple acto de rebeldía que supone "un triunfo
de la vida individual contra las categorías o leyes sociales".

Proyectada la picaresca a este plano de trascendencia, otro
notable investigador, ya citado, J. Frutos Gómez de las Cortinas, llegará a la conclusión de que esta novela es una de-

*en laquelle on peut reconnaître bonne partie des moeurs, vie et conditions des
espagnols.* Cit. por Frutos Gómez de las Cortinas, art. cit.

[20] Riquer-Valverde: *Historia de la Literatura Universal,* Barcelona, ed.
Noguer, vol. II, págs. 121 y ss. El tema aparece, también, en Manuel de
Montoliu: *El alma de España,* Barcelona, 1941.

[21] *Nueva interpretación de la Novela picaresca,* en "Revista de Filología
Española", 1937, págs. 343 y ss.

fensa "popular" del materialismo, de la vida "holgada y libre", que tiene su apoyo en la filosofía de Diógenes, pero que en vez de buscar los elementos embellecedores de la existencia natural, como hacen los novelistas y poetas bucólicos, buscan la felicidad en la verdad sin prejuicios, en la entrega confiada de los designios de Dios. De ahí que se pueda hablar de un contacto con el iluminismo, predicado por Pedro de Valdo, cuyos adeptos, vagabundos mendicantes, eran llamados "pikharti", nombre que hemos alineado como presunto origen de la palabra "pícaro",[22] caracterizados por un cristianismo interior, el hábito de la sencillez y, sobre todo, el horror a la hipocresía.

El articulista concluye: "La novela picaresca no ha nacido de la antigua oposición entre naturaleza *(physis)* y convención *(nomos).* El pícaro —como el cínico— reacciona contra las mentiras, artificios, formalismos rígidos, exigencias y servidumbres de una civilización refinada. El *homo socialis* es un ser dependiente de la opinión ajena, esclavo de sus deseos; en la sociedad nadie es lo que parece y nadie es señor de sí mismo. La codicia, germen de discordias y atropellos inmemorables, ha abierto las puertas de todos los vicios: la avaricia, la ambición, la soberbia, la envidia, el odio, etc...; los bienes extranaturales son una ilusión y, sirviendo de pábulo a las pasiones, producen las continuas perturbaciones del ánimo: la infelicidad nace de la imposibilidad de satisfacer las necesidades artificiales. El pícaro, por el contrario, vive en conformidad con su naturaleza, es señor de sí mismo y de su vida, y considera que la felicidad, objeto inmediato de la existencia, es algo interno que debe ser vivido".

CARACTERES DE LA NOVELA PICARESCA

Hace más de medio siglo Menéndez y Pelayo definió certeramente la novela picaresca, con los puntos de vista que entonces

---

[22] En conexión con "bigardo" y aun con "beguina", "falsa devota" en la acepción de Don Juan Manuel (Frutos, art. cit.).

imperaban, como "la epopeya cómica de la astucia y del hambre". Creemos que las líneas anteriores harán perceptibles al lector una problemática mucho más vasta y profunda, extrañamente oculta tras los relatos de unas vidas humildes. Caracteriza profundamente a estos relatos su condición autobiográfica. Pero ¿cómo? Ese golfillo, ese criado, ese nómada, ¿sabe leer, siquiera? ¿Puede escribir algo más que unas sencillas palabras? Aunque sea "esta nonada que en grosero estilo escribo", como dice el autor del *Lazarillo* en su prólogo, ¿quién enseñó al pobre, al pobrísimo hijo de una viuda, lavandera de unos pobres criados, siquiera a deletrear? Nadie nos lo explica. Pero el género se define esencialmente por esta condición autobiográfica, ya que, como hemos visto, la novela picaresca es, sobre todo, un punto de vista sobre la sociedad de su tiempo, un acta de acusación o lo que hoy llamaríamos literatura de denuncia.

"EL LAZARILLO DE TORMES"

Así la novela picaresca —aunque en ella no aparezca la palabra "pícaro"— empieza diciendo: "Pues sepa vuestra merced que a mí me llaman Lázaro de Tormes", exponiendo a continuación el nombre de sus padres y de su nacimiento. Como los grandes héroes novelescos de la época —los Caballeros Andantes—, Lázaro explica su genealogía y su cuna. Claro que tiene pocas cosas brillantes que contar ese pobre hijo de un padre ladrón y de una madre amancebada con un negro. Pero en este recuento "al revés" está justamente implícita la actitud rencorosa. ¿Pero quién ha escrito este libro? El prólogo parece aludir a un encargo, "y pues vuestra merced me escribe que le escriba", ¿quién ordenó que se escribiese?

Las ediciones más antiguas que se conocen del *Lazarillo de Tormes* son tres y, sorprendentemente, en el mismo año —1554—, con variantes notables y en tres lugares distintos: dos en España (Burgos y Alcalá) y otra en Flandes (Amberes). Es casi imposible que hayan podido imitarse entre sí. Así hemos de suponer que existen una o varias ediciones anteriores —o acaso versiones manuscritas— de un libro tanto más sorprendente en aquellos tiempos en los que sólo se concebían protagonistas caracterizados por su alcurnia, su valor o su santidad. Del éxito que esta novedad comportaba dan prueba las tres ediciones contemporáneas de 1554, situadas en los extremos del dominio lingüístico y político español en la Europa del siglo XVI: Castilla y Flandes. Del contenido "revolucionario" que la novela ofrecía da razón la inmediata inclusión, en 1559, del libro en el *Catalogus librorum qui prohibentur* del inquisidor Valdés. De su popularidad, finalmente, da noticia el hecho de que el propio Felipe II autoriza a su secretario Juan López de Velasco para que expurgara el libro de sus capítulos anticlericales, y así apareció un *Lazarillo castigado* en 1573. Los tiempos habían cambiado desde que el libro fue escrito. Pero ¿cuándo fue escrito? [23]

Las alusiones que los críticos han retenido se refieren especialmente a la entrada victoriosa de Carlos V en Toledo y a "los cuidados del rey de Francia". Se trata, pues, del año 1525 [24] después de la batalla de Pavía. En esta fecha, según datos que se derivan de su propio relato, Lázaro, que ya tiene sus ocho años al morir su padre en la batalla de los Gelves (que se dio

---

[23] Una copla anónima de "El Peregrino Español" recuerda la desvalorización del libro, al privársele de esta intencionalidad satírica:

> *También dizen que queda muy azeda*
> *la vida del que tanto hizo reir*
> *que es del muy sacro Tormes Lazarico*
> *que le han dejado necio y corto y chico.*

citado por Asensio, "Hispanic Review", 1959, pág. 84, nota.

[24] ¿Por qué no se publicó el libro en esta fecha? Acaso, piensa A. A. Sicroff, por tener la conciencia de que el libro (como así es) no ha hallado una forma de redacción definitiva, se quedase en forma de proyecto interrumpido, o de un manuscrito circulante de mano en mano, del que saldría bien la edición supuesta anterior, bien las copias que dieron lugar a las tres ediciones de 1554. (Vid. A. A. Sicroff: *Sobre el estilo del "Lazarillo de Tormes"*, "Nueva Revista de Filología Española", 1957, núm. 3. Véase el comentario de Francisco Ayala: *Cerrazón y apertura en el "Lazarillo de Tormes"*, "La Nación", Buenos Aires, 30 de abril de 1960.

en 1510) y puede ser ya casado cuando se relata la novela, que explica el episodio final de su matrimonio bajo la sospechosa protección del arcipreste de Toledo. Esto es cuanto se deduce de la España de Carlos V, ya que el autor de la novela no tiene la menor intención de darnos un "cuadro histórico" de su tiempo, habiendo seleccionado cuidadosamente el ángulo sórdido y miserable que el desgraciado Lázaro podrá avizorar. Conozcamos su historia:

Lázaro de Tormes, hijo de ladrón y de madre poco honesta, debe ganar su vida desde su niñez. Iniciando las ya señaladas características del género, el personaje es un nómada y "criado de muchos amos". Son los siguientes, presentados sucesivamente:

I.   Un ciego, desalmado y cruel, falso rezador a las puertas de las Iglesias, mendigo profesional que le da las terribles lecciones iniciales de su existencia.

II.   Un clérigo que le mata de hambre.

III.   Un hidalgo fanfarrón, tan pobre como él mismo, y con el que se reparten la limosna que piden.

IV.   Un fraile de la Merced, episodio brevísimo.

V.   Un buldero, o propagador de bulas.

VI.   Un capellán que le obliga a vender agua en un asnillo.[25]

VII.   Un alguacil.

Después de este episodio, Lázaro casa, como ya sabemos, confesando que "el señor arcipreste de San Salvador, mi señor y servidor, y amigo de vuestra merced",[26] le protege, explicando con cínico candor que le va muy bien con su ayuda, aunque descubre que su mujer ya "había parido tres veces" antes de casarse. A eso llama Lázaro estar "en mi prosperidad y en la cumbre de toda buena fortuna".

Lo primero que sorprende en el recuento de los "amos" de

---

[25] Brevísimamente se alude a otro dueño: un "maestro de pintar panderos".
[26] El destinatario, desconocido, del prólogo de la obra.

Lázaro es el predominio de los eclesiásticos. De sus ocho "pro-
tectores", cinco —incluyendo el buldero —están relacionados
con la Iglesia. Sin entrar ahora si se trata de refinado erasmismo
o más bien de puro y simple anticlericalismo —visible en nuestra literatura desde el *Diálogo de Elena y María*—, la actitud
reiterada es muy notable y explica el celo del inquisidor Valdés
al suprimir los capítulos del fraile de la Merced y del buldero
en su edición del *Lazarillo castigado.*

Los otros dos personajes notables —el alguacil no tiene apenas relieve— son el ciego y el hidalgo. El ciego es persona
ligada a la tradición literaria, y hay una célebre farsa francesa
de *Le garçon et l'aveugle* ya en el siglo XIII. Del oficio del
muchacho nace la palabra "Lazarillo", que significa el acompa-
ñante de los ciegos. Es duro, cruel y desalmado, y, por ello, el
primer maestro en el arte de vivir. "Necio, aprende que el mozo
de ciego un punto ha de saber más que el diablo." "Desperté
de la simpleza en que como niño dormido estaba" —dice Lazarillo al oírle—. Y bien le harán falta sus argucias para irse
librando de fieras condiciones que le imponen sus sucesivos
amos, verdadera "carrera de obstáculos", en las que va apren-
diendo la carrera de vivir, hasta que, robando una parte de
lo que percibe como repartidor del agua (que constituye el negocio del capellán del Tratado VI) consigue al cabo de cuatro
años "el primer escalón que yo subí para alcanzar buena vida",
finalidad que obtiene bien cínicamente con su matrimonio tal
como hemos señalado.

La otra figura, la del "hidalgo" es la más interesante. Se-
ñalemos que no está descrita con inquina. Ante la fanfarro-
nería grotesca de aquel hombre —personificación, como ya hemos indicado, de la mentalidad arcaizante de Castilla la Vieja—,
Lázaro reacciona con piedad. "Eres muchacho —le argumenta
desde su peculiar punto de vista— y no sientes las cosas de la
honra...", dice el hidalgo en su grotesca y a la vez patética
defensa de los valores tradicionales, sorprendente en el medio
toledano en el que la novela transcurre. A la tesis de la condición de castellano viejo, señalada por Criado de Val, podría

añadirse la reiteración del texto, al señalar: "Desta manera estuve con un tercero y pobre amo, que fue este escudero, algunos días, y en todos deseando saber la intención de su venida y estada en esta tierra. Porque desde el primer día que con él asenté *le conocí ser extranjero,* por el poco conocimiento y trato que con los naturales della tenía" (Tratado III)

La simpatía que Lázaro cobra por su desgraciado amo —que es en realidad compañero de hambre—, para aparentar lo que no era, se cifra en la conocida frase "antes le había lástima que enemistad",[27] y lo que es más notable, cuando es acusado su amo hace suyas sus fantasías, declarando que el hidalgo posee en su tierra "un buen solar de casas y un palomar derribado" Tampoco Criado de Val ha valorado el sentido evidente de las réplicas que subsiguen:

—Bien está —dicen ellos— (el alguacil y el escribano). Por poco que valga, ¿hay para nos entregar de la deuda?

—En su tierra —les respondí.

—Por Dios, que está bueno el negocio —dijeron ellos—. ¿Y adónde es su tierra?

—De Castilla la Vieja me dijo él que era —les dije yo. Riéronse mucho el alguacil y el escribano, diciendo:

—Bastante relación es ésta para cobrar nuestra deuda, aunque mejor fuese.[28]

Es, pues, interesantísimo el capítulo del hidalgo, porque abre una etapa de diálogo entre Lazarillo y uno de sus antagonistas, en el que uno y otro se entienden y se comprenden, lo que implica una actitud de ternura verdaderamente contradictoria con la posición de helado cinismo con que la historia se desarrolla, y que aumenta a lo largo de los capítulos subsiguientes hasta llegar al clima de desfachatez.

Observamos, pues, que este pequeño libro, de apariencia insignificante y de autor anónimo —justamente como si su ano-

---

[27] Tratado III. Y todavía: "Y no tenía tanta lástima de mí como del lastimado de mi amo, que en ocho días maldito el bocado que comió..." (*id.*).
[28] *Id., id.*

nimato quisiera darle un valor más representativo—,[29] ofrece
una temática bastante compleja y ambiciosa, no sólo como fuerza
inicial de un frondoso género literario, sino —como vamos
viendo— una serie de elementos ideológicos de extraordinario
interés. Por lo que se refiere al conjunto de los personajes que
se enfrentan a Lazarillo, ya Morel Fatio[30] hacía notar que los
tres primeros *tratados* del libro presentan al mendigo, al clérigo y al hidalgo, es decir, a las tres clases sociales que pueden
simbolizar la España de su tiempo. Estas tres clases están re-
flejadas por este orden y en un plano creciente de originalidad
y de humanidad. El hecho de que la obra no alcanzara —como
es obvio por su estilo, por el asistematismo en la división de
tratados, algunos solamente esbozados—, no significa que no
tenga una unidad intencional,[31] partiendo de la toma de conciencia del personaje ("desperté de la simpleza en que como niño
dormido estaba"), aun cuando nos sorprenda la diversidad de los
ritmos temporales, por la que hay capítulos como el larguísimo
del hidalgo, que describen pocos días, y otros cortísimos, como
el del capellán (Tratado VI), en el que transcurren cuatro años
de la vida del protagonista.[32]

---

[29] El *Lazarillo* ha sido atribuido, sin base convincente:

1. A un Sebastián de Horozco, autor de una *Representación de la historia
evangélica del capítulo nono,* que incluye la escena (bien anecdótica, por cierto),
del ciego que tropieza con el poste del *Lazarillo* (tesis de Julio Cejador y de
J. M. de Asensio).

2. A Diego Hurtado de Mendoza, famoso humanista, cuyo estilo ita-
lianizante para nada se asemeja (a menos de una simplificación falsificadora
del lenguaje) al del *Lazarillo,* tesis tradicional en el siglo XVII —Valerio
Taxandro, Nicolás Antonio— recogida por González Palencia, que justifica
la aparición de la obra como anónima por hallarse Mendoza en 1554 en desgracia del rey (hoy sabemos que éste no es el año de la redacción del libro).

3. Fray Luis de Ortega, General de la orden de San Jerónimo (hipótesis
de Marcel Bataillon, de base poco consistente).

4. A Lope de Rueda (hipótesis de Fred Adams).

[30] *Recherches sur le Lazarillo de Tormes* en *Etudes sur l'Espagne,* París,
1895.

[31] Tarr: *Literary and artistic unity in the "Lazarillo de Tormes"* en PMLA,
LXII, 1927.

[32] Para estos temas véase: Claudio Guillén: *La disposición temporal en el
"Lazarillo de Tormes",* "Hispanic Review", oct., 1957, 264-279.

Veamos ahora otros aspectos, en profundidad, que nos ofrece el *Lazarillo:*

Ya nos hemos referido a la actualidad del autor del *Lazarillo* frente a lo religioso. ¿Cuál es la ética del *Lazarillo?* ¿Una ética "de emergencia", apoyada en la necesidad, en el "cumple avivar el ojo y avisar, pues estoy solo"? Excepto las reacciones ante el escudero, que son simplemente conmiserativas, la vida exige a Lázaro una actitud de dureza que no puede justificarse por la maldad que le circunda y menos cuando le sirve de base para la cínica conformidad que adopta al final de su obra.[33] Y si del plano religioso pasamos al político, ¿qué significa la aparición de este personaje insignificante que intenta llamar la atención sobre su propia insignificancia? La historia nos demuestra que, a pesar de los regocijos con que Toledo recibió a Carlos V, las cosas no caminaban de modo plenamente optimista. El final victorioso de la guerra con Francia no conseguía borrar los desastres de los alzamientos de los comuneros de Castilla o de las germanías de Valencia. La derrota de los Gelves (1510), donde muere el padre del Lazarillo, cerraba el paso a Africa y lo abría a la amenaza turca. Todas estas aventuras costaban mucho al erario público, al que exigían onerosas operaciones de préstamos bancarios.[34] Frente a este oscurecimiento del horizonte colectivo, como frente a su individual "fortuna adversa", ¿sugiere el Lazarillo la necesidad de buscar la propia iniciativa, solución a los problemas planteados? "El sentido profundo de la novela —escribe Karl Vossler— no está en los obstáculos que el Lazarillo encuentra en su vida, sino en el instinto de conservación que revela su espíritu animoso." Para Vossler, el protagonista de la novela sería un hijo del proletariado en lucha con sus explotadores, dando por primera vez

---

[33] No tan defendible, ciertamente, como piensa Homero Castillo: *El Comportamiento de "Lazarillo",* "Hispania", nov., 1950. Para esta cuestión véase: Manuel J. Asensio: *La intención religiosa del Lazarillo"* en "Hispanic Review", XXVII, enero de 1959, julio, 1960.

[34] Un resumen excelente de esta situación en A. del Monte: *Itinerario del romanzo picaresco spagnolo,* Firenze, 1957.

muestra de energía y de resolución vital.[35] Contrariamente, para Américo Castro, la novela tendría un "abolengo oriental", cuyo protagonista "no es el pícaro", sino el mundo en torno de él, que tercamente afirma su irrealidad, su mera apariencia frente al insensato que pretendió hallar en él una base más sólida",[36] significando una conciencia de inseguridad característica del

---

[35] En su famosa *Carta española a Hugo de Hoffmanstal*. Nos interesa conocer su pensamiento: "Tanto más osada y genial la voluntad del artista desconocido para imponerse al poder y a la costumbre de esta opinión pública. Pero lo más grande es que con los puros medios del arte, libre de tendencias y sermones, logra su objeto. Un sentimiento humano con el proscrito social fluye como suave bajo tono a lo largo de la narración, sin espumar el envanecido arte de un Rousseau, un Hugo o un Zola, en rebelión sentimental o intelectual contra el orden social. Los verdugos y explotadores del pobre joven, sean éstos mendigos, clérigos o caballeros, son también un poco sus bienhechores y sus maestros; aparecen, por su parte, como oprimidos que necesitan indulgencia y que sólo son burlados con una suave ironía: 'el Señor lo remedie, que ya con este mal han de morir'. El avispado poeta ve en la sociedad, en los estados y clases, no lo abstracto y sociológico, sino lo humano viviente en limitación correspondiente: aquí, el pobre y presuntuoso hidalgo hambrentón; allí, el astuto malicioso, y, sin embargo, tan sugestivamente alegre, ciego, pordiosero, etc. La simpatía no es patética, la compasión viva, el humor no sentimental, el capricho indestructible. Por todas partes 'fuerza y maña', que son también los rasgos esenciales del propio héroe, y que es lo que de él más se ensalza. La alegría en su fuerza de resistencia corporal y anímica, para toda miseria, apuro y hambre, da a estos acordes suaves la melodía. Suena como una alegre odisea que se representa en el arcilloso y pétreo terreno castellano en el mar. 'Huelgo de contar a v. m. estas niñerías, para mostrar cuánta virtud sea saber los hombres subir siendo bajos, y dejarse bajar siendo altos, cuánto vicio.' Cuán sano tiene que ser un muchacho que apaleado hasta sangrar y dolorido, ríe aún, y es más que consideraría un robo al espíritu y a la justicia si al hacer una buena descripción de sus hazañas no se riera también. 'Mas con tanta gracia y donaire contaba el ciego mis hazañas, que, aunque yo estaba tan maltratado y llorando, me parecía que le hacía sinjusticia en no se las reír.' Por igual, penetrado y colmado de la amargura y de la fuerza divina de la hermosura de la vida, se mantiene recto y tiene su orgullo y su sentido del honor. Es a su manera, dentro de su clase, un hombre de honor. El poeta gusta y estima este sentimiento, aunque esté muy por encima de él, aunque no es lo suyo, si bien, por lo verdaderamente humano, es en parte suyo y nuestro. A tales campeones de la firmeza del honor no los llamamos héroes, es verdad, pero sí todo un hombre: amables, bravas criaturas, a las que se enaltece sonriendo."

[36] *La Realidad Histórica de España*, Editorial Porrúa, S. A. México, 1954, págs. 350, 430, 431.

alma española, lo que no deja de sorprender en pleno reinado de Carlos V.[37]

El *Lazarillo* —otra prueba de su éxito— tuvo continuaciones. Una inmediata y disparatada, de 1555, en que el personaje se convierte en atún, y otra, publicada en París, 1620, firmada por un tal H. de Luna, en la que —acaso por tratarse de un español judaizante fugitivo, se extrema la nota anticlerical y antiinquisitorial. Aquí la "picaresca" es ya una organización, una sistemática. Se ha convertido en un género literario al que pertenecen, por derecho propio y con condición de arquetipo, y *La vida del Buscón Don Pablos,* de Francisco de Quevedo, que vamos a estudiar.

PROLIFERACION DE LA PICARESCA

Desde 1554, fecha de la publicación del *Lazarillo,* a 1626, en que aparece *La vida del Buscón llamado Don Pablos,* de Francisco de Quevedo, han sucedido muchas cosas en la vida y —por consiguiente— en la literatura española. Un siglo justo desde que el autor anónimo imaginara la figura desmedrada y cínica del de Tormes, que tanto éxito iba a tener cuando veinticinco años después apareció impresa. Un siglo que va desde la victoria fulgurante de Pavía hasta un presentimiento general de derrota que precisamente es Quevedo el primero que se atreve, firmemente, a formular. Entre tanto, la picaresca ha

---

[37] "Una hegemonía fundada en aciertos políticos y en prosperidad económica hubiera, tal vez, hecho feliz a los españoles; ...No aconteció así. Lo limitado dentro de su horizonte personal, dentro de un mundo geográficamente sin límites, hizo posible la creación de formas nuevas, aptas para expresar la situación sin salida razonable en que los mejores de España se sentían hundidos.

"Tal es el profundo sentido del prólogo al *Lazarillo de Tormes,* escribe quien allí habla, 'porque se tenga entera noticia de mi persona, y también, porque consideren los que heredaron nobles estados cuán poco se les debe (pues fortuna fue con ellos parcial), y cuánto más hicieron los que, siéndoles contraria, con fuerza y maña remando, salieron a buen puerto'. España remó contra la fortuna..." (*id.*, pág. 611).

proliferado: *Guzmán de Alfarache,* de Mateo Alemán, lanza
al ruedo ibérico, entre 1599 y 1604, la figura arquetípica del
pícaro ya mayor —no niño como Lazarillo—, y a diferencia
de éste, culto, filósofo y desengañado. En 1605 Francisco Delicado publica *La lozana andaluza,* que demuestra, al cambiar
el sexo de la protagonista, que lo que importa y caracteriza es
la "actitud". En 1618 aparece otra obra cumbre: *La vida de
Marcos de Obregón,* de Vicente Espinel. Recordemos, finalmente, que al publicarse en 1616 las *Novelas Ejemplares* de
Cervantes, aparecen en tres de ellas por lo menos —*Rinconete
y Cortadillo, La ilustre fregona* y *El coloquio de los perros*—
tipos humanos que se definen por su condición picaresca. Puede hablarse, ya, de un género literario que invade otros terre-
nos, como el teatro —recuérdese el *Pedro de Urdemalas* cervan-
tino— y la poesía, sobre todo en los romances y jácaras de corte
rufianesco, basado en una realidad social ya preexistente, pero
que sólo ahora ha ascendido a protagonizar la literatura. Ya
hemos dicho más arriba lo que esto supone como síntoma político social, como clave de una actitud desengañada ante los
grandes temas místicos y heroicos que se repliega y encanta
en el reverso de la nobleza, en la consideración de la miseria
y del hambre. Acompaña, pues, al pícaro una filosofía, como
se advierte ya desde el *Guzmán de Alfarache,* verdadero sermón moralizante, como ya hemos señalado al hablar del "plano
trascendente" de esta literatura y su vinculación con la ascética.
De esta filosofía en la que sólo se valora lo eterno, considerando lo demás bajo y deleznable, se fabrica todo el pensamiento de Calderón. De la fracción más negativa de esta actitud
se deriva el modo de entender la vida de Baltasar Gracián.
Hemos llegado a una picaresca sin pícaros. A un modo de pensar general que ya no necesita de unos personajes de ficción
para encarnar lo que son ideas generales y comunes de su
tiempo.[38]

---

[38] Vid. J. F. Montesinos: *Gracián, o la picaresca pura,* Madrid, "Cruz y
Raya", 1934.

EL "BUSCON" SALTO ATRAS

Cuando nosotros, conociendo este despliegue temático y sabiendo que es Quevedo una de las más profundas mentes del humanismo cristiano, nos acercamos al *Buscón,* publicado en 1626, cuando su autor tenía cuarenta y seis años, nos quedamos sorprendidos de la simplicidad del relato. Nada en él acusa, en efecto, la huella del despliegue en actitud y profundidad que hemos reseñado entre 1599 a 1618. Como en el caso de *Lazarillo,* media —según las hipótesis basadas en alusiones del texto— casi un cuarto de siglo entre la redacción —entre 1601 y 1605— [39] y su edición (1626). De ahí que sorprendamos un sentido lineal y simplista del relato que le aproxima más al modo dinámico y directo del *Lazarillo* que al profuso y complicado del *Guzmán.* Esto ha motivado, seguramente, su éxito, sus innumerables ediciones posteriores.[40] El *Buscón* es una de las novelas más populares de la literatura clásica española.

PABLOS

Es, pues, un Quevedo de veinte años el que escribe el *Buscón,* y acaso por ello, y por el aluvión de otro tipo de relatos dentro del género, tarda veintitantos años en publicarlo, cuando un nombre ya famoso puede amparar a esta obra de juventud dentro de un género que ha adquirido una fuerza arrolladora. Es una "novela picaresca pura" que se inicia, como es de rigor, con la presentación del personaje protagonista: "Yo soy, señor, natural de Segovia. Mi padre se llamó Clemente Pablo..."

---

[39] Según Fitzmaurice-Kelly y N. Alonso Cortés en "Revue Hispanique", XLIII, 1918.

[40] Desde entonces no ha dejado de reimprimirse: Rouen, 1629; Pamplona, 1631; Madrid, 1648; Bruselas, 1660... En el *Buscón* hay también un problema de variantes basadas en un manuscrito diferente, propiedad de Menéndez Pelayo, que aprovechó Américo Castro para su edición de "Clásicos Castellanos", Madrid, 1910, y que utilizamos para esta reimpresión.

Su condición de criado —el famoso "mozo de muchos amos" que caracteriza al personaje picaresco— se abre aquí, a diferencia de Lázaro que sirve (además de clérigos) a un pobre hidalgo fantástico, con tal ejercicio de una servidumbre auténtica, a un señor auténtico. Cuando va a parar a sus manos ya nos ha explicado —como Lazarillo— la condición de su padre —barbero, ladrón que muere ahorcado— y de la madre —bruja—, es decir, ha creado, sarcásticamente, una genealogía "al revés", con cínico candor apoyado sin duda en que "yo, que siempre tuve pensamientos de caballero, desde chiquito, nunca me apliqué a uno ni a otro" (Lib. I, cap. I). Pero bien pronto se encarga de advertirnos las dificultades que aquella turbia ascendencia supone para andar por la escuela, hasta decidirse salir de ella e iniciar su "carrera" de criado, con D. Diego, el hijo del noble D. Alonso Coronel. La primera situación le permite la primera gran caricatura del libro: la del dómine Cabra, que regía el tenebroso pupilaje adonde van a parar amo y criado. Del "retrato" de Cabra obsérvese, en primer lugar, su extensión, sin duda la descripción más extensa de un personaje hasta este momento en nuestras letras: la cabeza, primero; el talle, en seguida, y las extremidades, y, a continuación, la indumentaria: todo se describe, se dibuja, se pinta, se graba buscando en la imagen o en el chiste el refuerzo de la realidad evocada. Si se compara con los breves rasgos con que se describen los personajes del *Lazarillo* se advierte en seguida el principio de aquel procedimiento de *acumulación,* del que se deriva el barroco. Este sistema tiene como segundo elemento estético la *intensidad;* utilizando una estética que hoy llamaríamos expresionista se procura llegar al lector por medio de la exageración de los rasgos descritos; finalmente, una indiscriminación estética permite insistir en elementos hasta ahora discretamente situados en segundo término; piénsese en la escena en que Pablos es literalmente inundado por los asquerosos escupitajos de los estudiantes (Lib. I, cap. V). El Libro Primero termina con una carta del tío de Pablos que le cuenta cómo su padre ha muerto en la horca con una mezcla de horror y de cinismo que en la literatura española no encontraremos hasta los "esperpentos" de Valle Inclán.

Observamos, pues, al intentar una primera caracterización del libro, que, si bien dentro de la línea del *Lazarillo,* el *Buscón* posee una factura mucho más complicada, una elaboración del estilo que acredita no sólo una evolución de la estética sino una capacidad para el manejo del idioma absolutamente genial. Quevedo es, acaso, el primer *hablista* de la literatura y su destreza —ya perfecta en su primera edad— le lleva no sólo a los procedimientos de acumulación y de expresionismo que hemos reseñado, sino a una capacidad para el chiste, el retruécano, el juego de palabras que nos asalta a cada paso. No es sólo un caricaturista, sino también un prestidigitador.

Pero más sorprendente todavía es el cuadro social que la obra presenta, enriqueciendo también a lo ancho y a lo hondo el esquema mendigo-hidalgo-clérigo del *Lazarillo.* Al dibujo *lineal* de aquellas figuras, sucede el *sombreado* —en la doble acepción que un juego verbal permite: de figura en bulto, que produce sombra, y figura sombría. El cuadro de la España quevedesca queda así contorneado en una profusión de blancos, grises y negros, de certero e incisivo alcance. Más allá de las figuras que, como el terrible dómine Cabra, prolonga hacia lo patético, las de los curas avarientos del *Lazarillo,* existen otras muchas en las que lo individual deja paso a lo social. Los temas de los estudiantes y las de las casas de huéspedes que cierran el Libro Primero ya tienen este general alcance.

Pero es a partir del Libro Segundo cuando este despliegue adquiere mayor autenticionalidad, con figuras como el *arbitrista,* caricatura de los que andaban predicando remedios para los problemas públicos, como el que ofrece al Rey para tomar la plaza de Ostende secando el mar que le aísla con esponjas, o el *esgrimista* —que es otro arbitrista más, por cuanto cree poseer una geometría de la esgrima que le haría imbatible. Proyección social y cultural a la vez tienen los capítulos II y III que contienen las sátiras contra los *poetas güeros,* entendiendo por ellos los que escriben composiciones larguísimas de temas disparata-

dos y los que producen comparaciones grotescas, constituyendo
una "seta infernal de hombres condenados a perpetuo conceto".
Análogo sentido de sátira colectiva tiene la caricatura del soldado fanfarrón. Finalmente, los capítulos IV al VI son una
introducción a la vida de la Corte, que ocupa todo el Libro
Tercero y último.

Acaso sea éste el que de modo más claro contiene el trajín
de la novela picaresca, la visión de la vida del pícaro en Madrid, en su específico medio social: verdadera organización de
mendigos y de sinvergüenzas —como el patio de Monipodio
de Sevilla—, Quevedo tiene en ella la galería de falsos lisiados,
ladrones, brujas, malos eclesiásticos, alcahuetes, que en iglesias,
posadas y cárceles despliegan sus tremendos modos de mal
vivir. No falta tampoco el reflejo de la vida literaria en el
personaje que dice haber representado comedias (cap. II) y
en el propio *Buscón,* que se convierte en actor (cap. IX). La
obra termina con la marcha de Pablos a Sevilla para embarcar.
"Determiné... de pasarme a Indias con ella, a ver si mudando
mundo y tierras, mejoraría mi suerte. Y fuéme peor como vuesa
merced verá en la segunda parte,[41] pues nunca mejora de
estado quien muda solamente de lugar, y no de vida y costumbres." [42]

Con esta melancólica reflexión se despide el Buscón de sus
lectores. No basta cambiar de sitio, en efecto, porque lo que importa es la actitud. Gozado el despliegue verbal, la riqueza
del léxico de Quevedo, su infatigable búsqueda del juego de
palabras o del chiste que muchas veces no consigue hacernos
reír, porque nada envejece como los modos del humor y porque
muchos de los "chascarrillos" se basan en alusiones a cosas de
la época que hoy nos dejan indiferentes, ¿qué nos queda a nosotros, lectores de hoy, de la lectura del *Buscón Don Pablos?* La
visión de un tremendo guiñol, en el que, como dice Valbuena,
"Quevedo nos ofrece una especie de muñecos de cartón que

---

[41] Que no se publicó.
[42] Libro III, cap. X.

mueve sin engaños y que se retuercen unos en muecas terribles y macabras y otros en burlas y chistes." [43] Como un tremendo juego de contrastes ofrece Quevedo con toda su fuerza lo que en el *Lazarillo* se insinúa apenas: el mundo de los castigos que se contrapone al ejercicio de la libertad. La libertad que conduce al mal: al padre, que roba, le encarcelan, le azotan [44] y después le ahorcan y le descuartizan; la madre, que incurre en brujerías, es paseada desnuda a la vergüenza pública... Los "castigos" que se infligen a las criaturas humanas desde los "azotes" son uno de los *leit-motivs* de la obra [45] como burla bárbara como castigo judicial, como refinamiento que alcanza los límites del sadismo, hasta las formas más repugnantes de la ofensa: la porquería, la saliva. Sobre todo ello planea tétricamente la amenaza de los castigos inquisitoriales [46] una desgarradora noción de indignidad en torno al ser humano.

¿Cuál es el mensaje trascendente del *Buscón*? ¿Es, como quiere la repetida frase de Leo Spitzer, una mezcla de "acercamiento al mundo" a través de la aventura unido a "un desengaño ascético del mundo"? Cuesta creerlo en este Quevedo juvenil, cuyo "sentimiento trágico de la vida", sin embargo, no tardará en aparecer. Una experiencia vital —la de sus años de estudiante—, sí se contiene. Una experiencia suficiente para cargar las tintas

---

[43] *La novela picaresca española,* ed. Aguilar, estudios preliminares, página 64.

[44] "Salió della cárcel con tanta honra que le acompañaban doscientos cardenales, sino que a ninguno llamaban eminencia" (lib. I, cap. I), dice Quevedo en uno de sus característicos juegos de palabras.

[45] Ya el padre llora de los azotes que le propinan (lib. I, cap. I). Pablos es azotado en la escuela (*id.* II) y en la pensión de Cabra (III) y en Alcalá (IV). El tema de los azotes campea en el cap. IV del libro II: "De eso me puedo alabar yo —dijo mi tío— entre cuantos manejan la zurriaga, que al que me encomiendan hago lo que debo: sesenta me dieron los de hoy, y llevaron unos azotes de amigo con penca sencilla". Los castigos físicos llenan los capítulos III y IV del libro III. Allí se describe el azote público de una mujer.

[46] "Era el pregón éste: 'A esta mujer por ladrona.' Llevábale el compás en las costillas el verdugo..." (lib. III, cap. V). Todavía a Pablos le muelen la espalda a cintarazos (III, VII).

sombrías de este retrato de la sociedad seiscientista española, si la hay. Y todo ello adobado con una lengua rica, enérgica, expresiva, cambiante, dislocada.

La lengua de Quevedo.

GUILLERMO DÍAZ-PLAJA.

State of New York University at Buffalo.
Enero de 1965.

LAZARILLO DE TORMES

PRÓLOGO

Yo por bien tengo que cosas tan señaladas y por ventura nunca oídas ni vistas vengan a noticia de muchos y no se entierren en la sepultura del olvido, pues podría ser que alguno que las lea halle algo que le agrade, y a los que no ahondaren tanto los deleite.

Y a este propósito dice Plinio que no hay libro, por malo que sea, que no tenga alguna cosa buena. Mayormente que los gustos no son todos unos; mas lo que uno no come, otro se pierde por ello.

Y así vemos cosas tenidas en poco de algunos, que de otros no lo son.

Y esto, para que ninguna cosa se debería romper ni echar a mal, si muy detestable no fuese, sino que a todos se comunicase. Mayormente siendo sin perjuicio y pudiendo sacar de ella algún fruto.

Porque si así no fuese, muy pocos escribirían para uno solo, pues no se hace sin trabajo y quieren, ya que lo pasan, ser recompensados, no con dineros, mas con que vean y lean sus obras y, si hay de qué, se las alaben. Y a este propósito, dice Tulio: *La honra cría las artes.*

¿Quién piensa que el soldado, que es primero de la escala, tiene más aborrecido el vivir? No por cierto. Mas el deseo de alabanza le hace ponerse al peligro; y así en las artes y letras es lo mesmo.

Predica muy bien el presentado y es hombre que desea mucho el provecho de las ánimas. Mas pregunten a su merced si le pesa cuando le dicen:

—¡Oh, qué maravillosamente lo ha hecho vuestra reverencia!

Justó muy ruinmente el señor don Fulano, y dió el sayete

de armas al truhán, porque le loaba de haber llevado muy buenas lanzas: ¿qué hiciera, si fuera verdad?

Y todo va de esta manera; que confesando yo no ser más
santo que mis vecinos, de esta nonada que en este grosero estilo
escribo, no me pesará que hayan parte y se huelguen con ello todos
los que en ella algún gusto hallaren, y vean que vive un hombre
con tantas fortunas, peligros y adversidades.

Suplico a vuestra merced reciba el pobre servicio de mano
de quien lo hiciera más rico, si su poder y deseo se conforma-
ran. Y pues vuestra merced escribe se le escriba y relate el caso
muy por extenso, parecióme no tomarle por el medio, sino del
principio, porque se tenga entera noticia de mi persona. Y también porque consideren los que heredaron nobles Estados cuán
poco se les debe. Pues, Fortuna fué con ellos parcial, y cuánto
más hicieron los que, siéndoles contraria, con fuerza y maña
remando, salieron a buen puerto.

TRATADO PRIMERO

Pues sepa vuestra merced, ante todas cosas, que a mí me llaman Lázaro de Tormes, hijo de Tomé González y de Antonia Pérez, naturales de Tejares, aldea de Salamanca. Mi nacimiento fue dentro del río Tormes, por la cual causa tomé el sobrenombre, y fué desta manera. Mi padre, que Dios perdone, tenía a cargo de proveer una molienda de una aceña, que está ribera de aquel río, en la cual fué molinero más de quince años. Y estando mi madre una noche en la aceña, preñada de mí, tomóla el parto y parióme allí. De manera, que con verdad me puedo decir nacido en el río.

Pues, siendo yo niño de ocho años, achacaron a mi padre ciertas sangrías mal hechas en los costales de los que allí a moler venían, por lo cual fue preso y confesó y no negó y padeció persecución por justicia. Espero en Dios que está en la Gloria, pues el Evangelio los llama bienaventurados.

En este tiempo se hizo cierta armada contra moros, entre los cuales fué mi padre, que a la sazón estaba desterrado por el desastre ya dicho, con cargo de acemilero de un caballero que allá fué. Y con su señor, como leal criado, feneció su vida.

Mi viuda madre, como sin marido y sin abrigo se viese, determinó arrimarse a los buenos por ser uno dellos y vínose a vivir a la ciudad y alquiló una casilla, y metióse a guisar de comer a ciertos estudiantes y lavaba la ropa a ciertos mozos de caballos del comendador de la Magdalena. De manera que fué frecuentando las caballerizas.

Ella y un hombre moreno, de aquellos que las bestias curaban, vinieron en conocimiento. Este, algunas veces, se venía a nuestra casa y se iba a la mañana. Otras veces de día llegaba a la puerta, en achaque de comprar huevos, y entrábase en casa.

Yo, al principio de su entrada, pesábame con él y habíale miedo, viendo el color y mal gesto que tenía; mas, de que vi que con su venida mejoraba el comer, fuíle queriendo bien, porque siempre traía pan, pedazos de carne y en el invierno leños, a que nos calentábamos.

De manera que, continuando la posada y conversación, mi madre vino a darme un negrito muy bonito, el cual yo brincaba y ayudaba a acallar.

Y acuérdome que estando el negro de mi padrastro trabajando con el mozuelo, como el niño veía a mi madre y a mí blancos, y a él no, huía dél con miedo, para mi madre, y señalando con el dedo decía:

—¡Madre, coco!

Respondió él, riendo:

—¡Hideputa!

Yo, aunque bien muchacho, noté aquella palabra de mi hermanico, y dije entre mí:

—¡Cuántos debe de haber en el mundo, que huyen de otros porque no se ven a sí mismos!

Quiso nuestra fortuna que la conversación del Zaide —que así se llamaba—, llegó a oídos del mayordomo, y hecha pesquisa, hallóse que la mitad por medio de la cebada que para las bestias le daban hurtaba, y salvados, leña, almohazas, mandiles, y las mantas y sábanas de los caballos hacía perdidas, y cuando otra cosa no tenía las bestias desherraba, y con todo esto acudía a mi madre para criar a mi hermanico. No nos maravillemos de un clérigo ni fraile, porque el uno hurta de los pobres y el otro de casa para sus devotas y para ayuda de otro tanto, cuando a un pobre esclavo el amor le animaba a esto.

Y probósele cuanto digo, y aun más, porque a mí con amenazas me preguntaban, y como niño respondía, y descubría cuanto sabía con miedo; hasta ciertas herraduras que, por mandado de mi madre, a un herrero vendí.

Al triste de mi padrastro azotaron y pringaron, y a mi madre pusieron pena por justicia sobre el acostumbrado centenario, que en casa del sobredicho comendador no entrase, ni al lastimado Zaide en la suya acogiese.

Por no echar la soga tras el caldero, la triste se esforzó y cumplió la sentencia. Y por evitar peligro y quitarse de malas

lenguas, se fue a servir a los que al presente vivían en el mesón
ie la Solana. Y allí, padeciendo mil importunidades, se acabó
de criar mi hermanico, hasta que supo andar, y a mí hasta ser
buen mozuelo, que iba a los huéspedes por vino y candelas y
por lo demás que me mandaban.

En este tiempo vino a posar al mesón un ciego, el cual,
pareciéndole que yo sería para adiestrarle, me pidió a mi madre
y ella me encomendó a él, diciéndole cómo era hijo de un buen
hombre, el cual, por ensalzar la fe, había muerto en la de los
Gelves, y que ella confiaba en Dios no saldría peor hombre que mi padre, y que le rogaba me tratase bien y mirase por
mí, pues era huérfano.

El respondió que así lo haría y que me recibía no por mozo,
sino por hijo. Y así, le comencé a servir y adiestrar a mi nuevo
y viejo amo.

Como estuvimos en Salamanca algunos días, pareciéndole a
mi amo que no era la ganancia a su contento, determinó irse de
allí, y cuando nos hubimos de partir, yo fuí a ver a mi madre, y,
ambos llorando, me dio su bendición, y dijo:

—Hijo, ya sé que no te veré más. Procura de ser bueno,
y Dios te guíe. Criado te he y con buen amo te he puesto. Válete
por ti.

Y así, me fuí para mi amo, que esperándome estaba.

Salimos de Salamanca, y llegando a la puente, está a la entrada de ella un animal de piedra, que casi tiene forma de toro,
y el ciego mandóme que llegase cerca del animal, y allí puesto,
me dijo:

—Lázaro, llega el oído a este toro y oirás gran ruido dentro de él.

Yo simplemente llegué, creyendo ser así. Y como sintió que
tenía la cabeza par de la piedra, afirmó recio la mano y dióme
una gran calabazada en el diablo del toro, que más de tres días
me duró el dolor de la cornada, y díjome:

—Necio, aprende. Que el mozo del ciego un punto ha de
saber más que el diablo.

Y rió mucho la burla.

Parecióme que en aquel instante desperté de la simpleza en
que como niño dormido estaba, y dije entre mí:

—Verdad dice éste, que me cumple avivar el ojo y avisar, pues solo soy, y pensar cómo me sepa valer.

Comenzamos nuestro camino, y en muy pocos días me mostró jerigonza. Y como me viese de buen ingenio, holgábase mucho y decía:

—Yo oro ni plata no te lo puedo dar; mas avisos para vivir muchos te mostraré.

Y fué así, que después de Dios éste me dió la vida, y siendo ciego, me alumbró y adiestró en la carrera de vivir.

Huelgo de contar a vuestra merced estas niñerías, para mostrar cuánta virtud sea saber los hombres subir siendo bajos, y dejarse bajar siendo altos, cuánto vicio.

Pues, tornando al bueno de mi ciego y contando sus cosas, vuestra merced sepa que, desde que Dios crió el mundo, ninguno formó más astuto ni sagaz. En su oficio era un águila. Ciento y tantas oraciones sabía de coro. Un tono bajo, reposado y muy sonable, hacía resonar la iglesia donde rezaba. Un rostro humilde y devoto, que con muy buen continente ponía cuando rezaba, sin hacer gestos, ni visajes con boca ni ojos, como otros suelen hacer.

Allende de esto, tenía otras mil formas y maneras para sacar el dinero. Decía saber oraciones para muchos y diversos efectos: para mujeres que no parían, para las que estaban de parto, para las que eran mal casadas, que sus maridos las quisiesen bien. Echaba pronósticos a las preñadas, si traía hijo o hija.

Pues en caso de medicina, decía, Galeno no supo la mitad que él para muelas, desmayos, males de madre. Finalmente, nadie le decía padecer alguna pasión, que luego no le decía:

—Haced esto, haréis estotro, coced tal yerba, tomad tal raíz.

Con esto andábase todo el mundo tras él, especialmente mujeres, que cuanto les decía creían. Déstas sacaba él grandes provechos con las artes que digo, y ganaba más en un mes que cien ciegos en un año.

Mas también quiero que sepa vuestra merced que, con todo lo que adquiría y tenía, jamás tan avariento ni mezquino hombre no vi; tanto, que me mataba a mí de hambre, y así no me remediaba de lo necesario. Digo verdad: si con mi sutileza y buenas mañas no me supiera remediar, muchas veces me finara de hambre; mas con todo su saber y aviso le contraminaba de tal suerte, que siempre, o las más veces, me cabía lo más y mejor.

Para esto le hacía burlas endiabladas, de las cuales contaré algunas, aunque no todas a mi salvo. El traía el pan y todas las otras cosas en un fardel de lienzo, que por la boca se cerraba con una argolla de hierro y su candado y su llave, y al meter de todas las cosas y sacarlas, era con tanta gran vigilancia y tanto por contadero, que no bastara hombre en todo el mundo hacerle menos una migaja. Mas yo tomaba aquella laceria que él me daba, la cual en menos de dos bocados era despachada.

Después que cerraba el candado y se descuidaba, pensando que yo estaba entendiendo en otras cosas, por un poco de costura, que muchas veces del un lado del fardel descosía y tornaba a coser, sangraba el avariento fardel, sacando no por tasa pan, mas buenos pedazos, torreznos y longaniza. Y así buscaba conveniente tiempo para rehacer, no la chaza, sino la endiablada falta que el mal ciego me faltaba.

Todo lo que podía sisar y hurtar traía en medias blancas, y cuando le mandaban rezar y le daban blancas, como él carecía de vista, no había el que se la daba amagado con ella, cuando yo la tenía lanzada en la boca y la media aparejada, que por presto que él echaba la mano, ya iba de mi cambio aniquilada en la mitad del justo precio. Quejábaseme el mal ciego, porque al tiento luego conocía y sentía que no era blanca entera, y decía:

—¿Qué diablo es esto, que después que conmigo estás no me dan sino medias blancas, y de antes una blanca y un maravedí hartas veces me pagaban? En ti debe estar esta desdicha.

También él abreviaba el rezar, y la mitad de la oración no acababa, porque me tenía mandado que en yéndose el que la mandaba rezar, le tirase por cabo del capuz. Yo así lo hacía. Luego él tornaba a dar voces, diciendo:

—¡Mandan rezar tal y tal oración!—. Como suelen decir.

Usaba poner cabe sí un jarrillo de vino, cuando comíamos, y yo muy de presto le asía y daba un par de besos callados y tornábale a su lugar. Mas duróme poco. Que en los tragos conocía la falta, y por reservar su vino a salvo nunca después desamparaba el jarro, antes lo tenía por el asa asido. Mas no había piedra imán que así trajese a sí como yo con una paja larga de centeno, que para aquel menester tenía hecha, la cual, metiéndola en la boca del jarro, chupando el vino lo dejaba a buenas noches. Mas como fuese el traidor tan astuto, pienso que me sintió, y desde en adelante mudó propósito y asentaba su jarro entre las piernas y atapábale con la mano, y así bebía seguro.

Yo, como estaba hecho al vino, moría por él. Y viendo que aquel remedio de la paja no me aprovechaba ni valía, acordé en el suelo del jarro hacerle una fuentecilla y agujero sotil, y delicadamente con una muy delgada tortilla de cera taparlo, y al tiempo de comer, fingiendo haber frío, entrábame entre las piernas del triste ciego a calentarme en la pobrecilla lumbre que teníamos, y al calor de ella, luego derretida la cera, por ser muy poca, comenzaba la fuentecilla a destilarme en la boca, la cual yo de tal manera ponía, que maldita la gota se perdía. Cuando el pobrete iba a beber, no hallaba nada.

Espantábase, maldecíase, daba al diablo el jarro y el vino, no sabiendo que podía ser.

—No diréis, tío, que os lo bebo yo —decía—, pues no lo quitáis de la mano.

Tantas vueltas y tientos dió al jarro, que halló la fuente y cayó en la burla. Mas así lo disimuló como si no lo hubiera sentido.

Y luego, otro día, teniendo yo rezumando mi jarro como solía, no pensando el daño que me estaba aparejado, ni que el mal ciego me sentía, sentéme como solía; estando recibiendo aquellos dulces tragos, mi cara puesta hacia el cielo, un poco cerrados los ojos por mejor gustar el sabroso licor, sintió el desesperado ciego que ahora tenía tiempo de tomar de mí venganza, y con toda su fuerza, alzando con dos manos aquel dulce y amargo jarro, le dejó caer sobre mi boca, ayudándose, como digo, con todo su poder, de manera que el pobre Lázaro, que de nada de esto se guardaba, antes, como otras veces, estaba descuidado y gozoso, verdaderamente me pareció que el cielo, con todo lo que en él hay, me había caído encima.

Fué tal el golpecillo, que me desatinó y sacó de sentido, y el jarrazo tan grande, que los pedazos de él se me metieron por la cara, rompiéndomela por muchas partes, y me quebró los dientes, sin los cuales hasta hoy día me quedé. Desde aquella hora quise mal al mal ciego, y, aunque me quería y regalaba y me curaba, bien vi que se había holgado del cruel castigo. Lavóme con vino las roturas que con los pedazos del jarro me había hecho, y sonriéndose, decía:

—¿Qué te parece, Lázaro? Lo que te enfermó te sana y da salud.

Y otros donaires que a mi gusto no lo eran.

Ya que estuve medio bueno de mi negra trepa y cardenales, considerando que a pocos golpes tales el cruel ciego ahorraría de mí, quise yo ahorrar de él. Mas no lo hice tan presto por hacerlo más a mi salvo y provecho. Aunque yo quisiera asentar mi corazón y perdonarle el jarrazo, no daba lugar el mal tratamiento que el mal ciego desde allí adelante me hacía; que sin causa ni razón me hería, dándome coscorrones y repelándome.

Y si alguno le decía por qué me trataba tan mal, luego contaba el cuento del jarro, diciendo:

—¿Pensaréis que éste mi mozo es algún inocente? Pues oíd si el demonio ensayara otra tal hazaña.

Santiguándose los que le oían, decían:

—¡Mirad quién pensara de un muchacho tan pequeño tal ruindad!

Y reían mucho el artificio, y decíanle:

—¡Castigadlo, castigadlo, que de Dios lo habréis!

Y él con aquello nunca otra cosa hacía.

Y en esto yo siempre le llevaba por los peores caminos y adrede, por le hacer mal daño. Si había piedras, por ellas. Si lodo, por lo más alto, que aunque yo no iba por lo más enjuto, holgábame a mí de quebrar un ojo por quebrar dos al que ninguno tenía. Con esto, siempre con el cabo alto del tiento me atentaba el colodrillo, el cual siempre traía lleno de tolondrones y pelado de sus manos. Y aunque yo juraba no lo hacer con malicia, sino por no hallar mejor camino, no me aprovechaba ni me creía más; tal era el sentido y grandísimo entendimiento del traidor.

Y porque vea vuestra merced a cuánto se extendía el ingenio de este astuto ciego, contaré un caso de muchos que con él me acaecieron, en el cual me parece dió bien a entender su gran astucia. Cuando salimos de Salamanca, su motivo fué venir a tierra de Toledo, porque decía ser la gente más rica, aunque no muy limosnera. Arrimábase a este refrán: "Más da el duro que el desnudo". Y venimos a este camino por los mejores lugares. Donde hallaba buena acogida y ganancia, deteníamonos; donde no, a tercero día hacíamos San Juan.

Acaeció que, llegando a un lugar que llaman Almorox, al tiempo que cogían las uvas, un vendimiador le dió un racimo de ellas en limosna. Y como suelen ir los cestos maltratados, y también porque la uva en aquel tiempo está muy madura, desgranábasele el racimo en la mano. Para echarlo en el fardel tornábase mosto, y lo que a él se llegaba. Acordó de hacer un banquete, así por no lo poder llevar, como por contentarme. Que aquel día me había dado muchos rodillazos y golpes. Sentámonos en un valladar, y dijo:

—Agora quiero yo usar contigo de una liberalidad, y es que ambos comamos este racimo de uvas y que hayas de él tanta parte como yo. Partillo hemos de esta manera: tú picarás una vez, y yo otra, con tal que me prometas no tomar cada vez más de una uva. Yo haré lo mismo hasta que lo acabemos, y de esta suerte no habrá engaño.

Hecho así el concierto, comenzamos; mas luego al segundo lance, el traidor mudó propósito y comenzó a tomar de dos en dos, considerando que yo debería hacer lo mismo. Como vi que él quebraba la postura, no me contenté ir a la par con él; mas aun pasaba adelante: dos a dos y tres a tres. Y como podía las comía. Acabado el racimo, estuvo un poco con el escobajo en la mano, y meneando la cabeza, dijo:

—Lázaro: engañado me has. Juraré yo a Dios que has tú comido las uvas tres a tres.

—No comí —dije yo—; mas, ¿por qué sospecháis eso?

Respondió el sagacísimo ciego:

—¿Sabes en qué veo que las comiste tres a tres? En que comía yo dos a dos y callabas.

Reíme entre mí, y —aunque muchacho— noté mucho la discreta consideración del ciego. [1]

---

[1] Para no interrumpir la hilación en el relato, se reproducen en nota las partes intercaladas en la edición de Alcalá de 1554, y que sólo ahí figuran:

"A lo cual yo no respondí. Yendo que íbamos así por debajo de unos soportales, en Escalona, adonde a la sazón estábamos en casa de un zapatero, había muchas sogas y otras cosas que de esparto se

Mas, por no ser prolijo, dejo de contar muchas cosas, ansí graciosas como de notar, que con este mi primer amo me acaecieron, y quiero decir el despidiente, y con él acabar.

Estábamos en Escalona, villa del duque de ella, en un mesón, y dióme un pedazo de longaniza que le asase. Ya que la longaniza había pringado, y comídose las pringadas, sacó un maravedí de la bolsa y mandó que fuese por él de vino a la taberna.

Púsome el demonio el aparejo delante de los ojos, el cual, como suelen decir, hace al ladrón. Y fué, que había cabe el fuego un nabo pequeño, larguillo y ruinoso, y tal que, por no ser para la olla, debió ser echado allí. Y como al presente nadie estuviese sino él y yo solos, como me vi con apetito goloso, habiéndome puesto dentera el sabroso olor de la longaniza, del cual solamente sabía que había de gozar, no mirando qué me

---

hacen, y parte de ellas dieron a mi amo en la cabeza. El cual, alzando la mano, tocó en ellas, y viendo lo que era díjome:

"—Anda presto, muchacho; salgamos de entre tan mal manjar, que ahoga sin comerlo.

"Yo, que bien descuidado iba de aquello, miré lo que era, y como no vi sino sogas y cinchas, que no era cosa de comer, díjele:

"—Tío: ¿por qué decís eso?

"Respondióme:

"—Calla sobrino; según las mañas que llevas, lo sabrás y verás cómo digo verdad.

"Y así pasamos adelante por el mismo portal y llegamos a un mesón, a la puerta del cual había muchos cuernos en la pared, donde ataban los recueros sus bestias, y como iba tentado si era allí el mesón, adonde él rezaba cada día por la mesonera la oración de la emparedada, asió de un cuerno, y con gran suspiro dijo:

"—¡Oh, mala cosa, peor que tienes la hechura! ¡De cuántos eres deseado poner tu nombre sobre cabeza ajena y de cuán pocos tenerte ni aun oír tu nombre por ninguna vía!

"Como le oí lo que decía, dije:

"—Tío: ¿qué es esto que decís?

"—Calla, sobrino, que algún día te dará éste, que en la mano tengo, alguna mala comida y cena.

"—No lo comeré yo —dije—, y no me la dará.

"—Yo te digo verdad; si no, verlo has, si vives.

"Y ansí pasamos adelante, hasta la puerta del mesón, adonde pluguiere a Dios nunca allá llegáramos, según lo que me sucedió en él.

"Era todo lo que más rezaba por mesoneras, y por bodegoneras, y turroneras, y rameras, y ansí por semejantes mujercillas, que por hombre casi nunca le vi decir oración."

podría suceder, pospuesto todo el temor por cumplir con el deseo, en tanto que el ciego sacaba de la bolsa el dinero, saqué la longaniza, y muy presto metí el sobredicho nabo en el asador, el cual mi amo, dándome el dinero para el vino, tomó y comenzó a dar vueltas al fuego, queriendo asar al que de ser cocido por sus deméritos, había escapado. Yo fuí por el vino, con el cual no tardé en despachar la longaniza, y cuando vine, hallé al pecador del ciego que tenía entre dos rebanadas apretado el nabo, al cual aún no había conocido, por no lo haber tentado con la mano. Como tomase las rebanadas y mordiese en ellas, pensando también llevar parte de la longaniza, hallóse en frío con el frío nabo.

Alteróse, y dijo:

—¿Qué es esto, Lazarillo?

—¡Lacerado de mí! —dije yo—. ¡Si queréis a mí echar algo! ¿Yo no vengo de traer el vino? Alguno estaba ahí y por burla haría eso.

—No, no —dijo él—; que yo no he dejado el asador de la mano, no es posible.

Yo torné a jurar y perjurar que estaba libre de aquel trueco y cambio; mas poco me aprovechó, pues a las astucias del maldito ciego nada se le escondía. Levantóse y asióme por la cabeza, y llegóse a olerme. Y como debió sentir el huelgo, a uso de buen podenco, por mejor satisfacerse de la verdad, y con la gran agonía que llevaba, asiéndome con las manos, abrióme la boca más de su derecho, y desatentadamente metía la nariz, la cual él tenía luenga y afilada, y a aquella sazón con el enojo se había aumentado un palmo, con el pico de la cual me llegó a la gulilla.

Y con esto, y con el gran miedo que tenía y con la brevedad del tiempo, la negra longaniza aún no había hecho asiento en el estómago, y lo más principal, con el destiento de la cumplidísima nariz, medio casi ahogándome, todas estas cosas se juntaron, y fueron causa que el hecho y golosina se manifestase y lo suyo fuese vuelto a su dueño. De manera que antes que el mal ciego sacase de mi boca su trompa, tal alteración sintió mi estómago, que le dió con el hurto en ella; de suerte que su nariz y la negra mal mascada longaniza, a un tiempo salieron de mi boca.

¡Oh, gran Dios! ¡Quién estuviera aquella hora sepultado, que muerto ya lo estaba! Fué tal el coraje del perverso ciego, que, si al ruido no acudieran, pienso no me dejara con la vida. Sacáronme de entre sus manos, dejándoselas llenas de aquellos pocos cabellos que tenía, arañada la cara y rasguñado el pescuezo y la garganta. Y esto bien lo merecía, pues por su maldad me venían tantas persecuciones.

Contaba el mal ciego a todos cuantos allí se allegaban mis desastres, y dábales cuenta una y otra vez, así de la del jarro como de la del racimo, y agora de lo presente. Era la risa de todos tan grande, que toda la gente que por la calle pasaba entraba a ver la fiesta, mas con tanta gracia y donaire contaba el ciego mis hazañas, que aunque yo estaba tan maltratado y llorando, me parecía que hacía sinjusticia en no se las reír.

Y en cuanto esto pasaba, a la memoria me vino una cobardía y flojedad que hice, porque me maldecía, y fué no dejarle sin narices, pues tan buen tiempo tuve para ello, que la mitad del camino estaba andado. Que con sólo apretar los dientes se me quedaran en casa, y, con ser de aquel malvado, por ventura lo retuviera mejor mi estómago que retuvo la longaniza, y no pareciendo ellas, pudiera negar la demanda. ¡Plugiera a Dios que lo hubiera hecho, que eso fuera así que así!

Hiciéronnos amigos la mesonera y los que allí estaban, y, con el vino que para beber le había traído, laváronme la cara y la garganta. Sobre lo cual discantaba el mal ciego donaires, diciendo:

—¡Por verdad, más vino me gasta este mozo en lavatorios al cabo de año, que yo bebo en dos! A lo menos, Lázaro, eres en más cargo al vino que a tu padre, porque él una vez te engendró, mas el vino mil te ha dado la vida.

Y luego contaba cuántas veces me había descalabrado y harpado la cara, y con vino luego sanaba.

—Yo te digo —dijo— que si hombre en el mundo ha ser bien afortunado con vino, que serás tú.

Y reían mucho los que me lavaban con esto, aunque yo renegaba. Mas el pronóstico del ciego no salió mentiroso, y después acá muchas veces me acuerdo de aquel hombre, que sin duda debía tener espíritu de profecía, y me pesa de los sinsabores que le hice; aunque bien se lo pagué, considerando lo que aquel día me dijo salirme tan verdadero, como adelante vuestra merced oirá.

Visto esto, y las malas burlas, que el ciego burlaba de mí, determiné de todo en todo dejarle, y como lo traía pensado y lo tenía en voluntad, con este postrer juego que me hizo, afirmélo más. Y fué así, que luego otro día salimos por la villa a pedir limosna, y había llovido mucho la noche antes. Y porque el día también llovía y andaba rezando debajo de unos portales que en aquel pueblo había, donde no nos mojamos; mas como la noche se venía y el llover no cesaba, díjome el ciego:

—Lázaro, esta agua es muy porfiada, y cuanto la noche más cierra, más recia; acojámonos a la posada con tiempo.

Para ir allá habíamos de pasar un arroyo, que con la mucha agua iba grande.

Yo le dije:

—Tío, el arroyo va muy ancho. Mas, si queréis, yo veo por dónde atravesemos más aína sin nos mojar, porque se estrecha allí mucho, y, saltando, pasaremos a pie enjuto.

Parecióle buen consejo, y dijo:

—Discreto eres; por esto te quiero bien. Llévame a ese lugar, donde el arroyo se ensagosta, que ahora es invierno y sabe mal el agua, y más llevar los pies mojados.

Yo, que vi el aparejo a mi deseo, saquéle debajo de los portales y llevélo derecho de un pilar o poste de piedra que en la plaza estaba, sobre el cual, y sobre otros, cargaban saledizos de aquellas casas, y dígole:

—Tío, éste es el paso más angosto, que en el arroyo hay.

Como llovía recio y el triste se mojaba, y con la priesa que llevábamos de salir del agua, que encima de nos caía, y lo más principal, porque Dios le cegó aquella hora el entendimiento por darme de él venganza, creyóse de mí, y dijo:

—Ponme bien derecho, y salta tú el arroyo.

Yo le puse bien derecho enfrente del pilar, y doy un salto y póngome detrás del poste, como quien espera tope de toro, y díjele:

—¡Sus! ¡Saltad todo lo que podáis, porque deis de este cabo del agua!

Aun apenas lo había acabado de decir, cuando se abalanza el pobre ciego como cabrón, y de toda su fuerza arremete, tomando un paso atrás de la corrida para hacer mayor salto, y da con la cabeza en el poste, que sonó tan recio como si diera con ana gran calabaza, y cayó luego para atrás medio muerto y hendida la cabeza.

—¿Cómo? ¿Y olistes la longaniza y no el poste? ¡Huele, huele! —le dije yo.

Y dejéle en poder de mucha gente, que lo había ido a socorrer, y tomé la puerta de la villa en los pies de un trote, y, antes que la noche viniese, di conmigo en Torrijos.

No supe más lo que Dios dél hizo, ni curé de lo saber.

TRATADO SEGUNDO

CÓMO LÁZARO SE ASENTÓ CON UN CLÉRIGO, Y DE LAS COSAS QUE CON ÉL PASÓ

Otro día, no pareciéndome estar allí seguro, fuíme, a un lugar que llaman Maqueda, adonde me toparon mis pecados con un clérigo, que llegando a pedir limosna, me preguntó si sabía ayudar a misa. Yo dije que sí, como era verdad, que, aunque maltratado, mil cosas buenas me mostró el pecador del ciego, y una de ellas fué ésta. Finalmente, el clérigo me recibió por suyo.

Escapé del trueno y di en el relámpago. Porque era el ciego, para con éste, un Alejandro Magno, con ser la mesma avaricia, como he contado. No digo más, sino que toda la laceria del mundo estaba encerrada en éste; no sé si de su cosecha era, o lo había anejado con el hábito de clerecía.

El tenía un arcaz viejo y cerrado con su llave, la cual traía atada con un agujeta del paletoque. Y en viniendo el bodigo de la iglesia, por su mano era luego allí lanzado y tornada a cerrar el arca. Y en toda la casa no había ninguna cosa de comer, como suele estar en otras: algún tocino colgado al humero, algún queso puesto en alguna tabla, o en el armario, algún canastillo con algunos pedazos de pan que de la mesa sobran. Que me parece a mí que, aunque de ello no me aprovechara, con la vista dello me consolara.

Solamente había una horca de cebollas, y tras la llave en una cámara en lo alto de la casa. Déstas tenía yo de ración una para cada cuatro días, y cuando le pedía la llave para ir por ella, si alguno estaba presente, echaba mano al falsopeto y con gran continencia la desataba y me la daba, diciendo:

—Toma, y vuélvela luego, y no hagáis sino golosinear.

Como si debajo de ella estuvieran todas las conservas de Valencia, con no haber en la dicha cámara —como dije— maldita

otra cosa que las cebollas colgadas de un clavo. Las cuales él
tenía también por cuenta, que si por malos de mis pecados me
desmandara a más de mi tasa, me costara caro. Finalmente, yo
me finaba de hambre.

Pues ya que conmigo tenía poca caridad, consigo usaba más.
Cinco blancas de carne era su ordinario para comer y cenar.
Verdad es que partía conmigo del caldo; que de la carne ¡tan
blanco el ojo! sino un poco de pan, y ¡pluguiera a Dios que me
demediara!

Los sábados cómense en esta tierra cabezas de carnero, y
enviábame por una que costaba tres maravedís. Aquélla le co-
cía, y comía los ojos y la lengua, y el cogote y sesos y la carne,
que en las quijadas tenía, y dábame todos los huesos roídos. Y
dábamelos en el plato, diciendo:

—¡Toma, come, triunfa, que para ti es el mundo! ¡Mejor
vida tienes que el papa!

—¡Tal te la dé Dios!—, decía yo paso entre mí.

A cabo de tres semanas que estuve con él, vine a tanta flaqueza, que no me podía tener en las piernas, de pura hambre.
Vime claramente ir a la sepultura, si Dios y mi saber no me re-
mediaran.

Para usar de mis mañas no tenía aparejo, por no tener en
qué darle salto, y aunque algo hubiera, no podía cegarle, como
hacía al que Dios perdone, si de aquella calabazada feneció. Que
todavía, aunque astuto, con faltarle aquel preciado sentido, no
me sentía; mas estotro, ninguno hay, que tan aguda vista tuviese
como él tenía.

Cuando al ofertorio estábamos, ninguna blanca en la concha
caía, que no era dél registrada: el un ojo tenía en la gente y el
otro en mis manos. Bailábanle los ojos en el casco, como si fueran de azogue; cuantas blancas ofrecían tenía por cuenta. Y acabado el ofrecer, luego me quitaba la concheta y la ponía sobre
el altar.

No era yo señor de asirle una blanca todo el tiempo que con
él viví, o, por mejor decir, morí. De la taberna nunca le traje
una blanca de vino. Mas aquel poco que de la ofrenda había
metido en su arcaz, compasaba de tal forma, que le duraba toda
la semana.

Y por ocultar su gran mezquindad, decíame:

—Mira mozo, los sacerdotes han de ser muy templados en su comer y beber, y por esto yo no me desmando como otros.

Mas el lacerado mentía falsamente, porque en cofradías y mortuorios, que rezamos, a costa ajena comía como lobo y bebía más que un saludador.

Y porque dije mortuorios, Dios me perdone, que jamás fuí enemigo de la naturaleza humana, sino entonces. Y eso era porque comíamos bien y me hartaba. Deseaba y aun rogaba a Dios que cada día matase el suyo. Y cuando dábamos sacramento a los enfermos, especialmente la extremaunción, como manda el clérigo rezar a los que están allí, yo cierto no era el postrero de la oración, y con todo mi corazón y buena voluntad rogaba al Señor, no que le echase a la parte que más servido fuese, como se suele decir, mas que le llevase de aqueste mundo.

Y cuando algunos de éstos escapaba, ¡Dios me lo perdone!, que mil veces le daba al diablo. Y el que se moría otras tantas bendiciones llevaba de mí dichas. Porque en todo el tiempo que allí estuve, que sería casi seis meses, solas veinte personas fallecieron; y éstas bien creo que las maté yo, o, por mejor decir, murieron a mi recuesta; porque, viendo el Señor mi rabiosa y continua muerte, pienso que holgaba de matarlos por darme a mí vida. Mas de lo que al presente padecía, remedio no hallaba, que, si el día que enterrábamos, yo vivía, los días que no había muerto, por quedar bien vezado de la hartura, tornando a mi cuotidiana hambre, más lo sentía. De manera que en nada hallaba descanso, salvo en la muerte, que yo también para mí como para los otros deseaba algunas veces: mas no la veía, aunque estaba siempre en mí.

Pensé muchas veces írme de aquel mezquino amo. Mas por dos cosas lo dejaba: la primera, por no me atrever a mis piernas, por temor de la flaqueza que de pura hambre me venía, y la otra, consideraba y decía:

—Yo he tenido dos amos; el primero, traíame muerto de hambre y dejándole, topé con estotro, que me tiene ya con ella en la sepultura. ¿Pues si déste desisto y doy en otro más bajo, qué será sino fenecer?

Con esto no me osaba menear, porque tenía por fe que todos los grados había de hallar más ruines. Y a abajar otro punto, no sonara Lázaro, ni se oyera en el mundo.

Pues estando en tal aflicción, cual plega al Señor librar della
a todo fiel cristiano, y sin saber darme consejo, viéndome ir de
mal en peor, un día que el cuitado ruin y lacerado de mi amo había ido fuera del lugar, llegóse acaso a mi puerta un calderero,
el cual yo creo que fué ángel enviado a mí por la mano de Dios
en aquel hábito. Preguntóme si tenía algo que adobar.

—En mí teníades bien que hacer, y no haríades poco, si me
remediásedes —dije paso, que no me oyó.

Mas como no era tiempo de gastarlo en decir gracias, alum-
brado por el Espíritu Santo, le dije:

—Tío, una llave deste arte he perdido y temo mi señor me
azote; por vuestra vida, veáis si en esas que traéis, hay alguna
que le haga, que yo os lo pagaré.

Comenzó a probar el angelico calderero una y otra de un
gran sartal que de ellas traía, y yo ayudarle con mis flacas oraciones. Cuando no me cato, veo en figuras de panes, como dicen,
la cara de Dios dentro del arcaz. Y abierto, díjele:

—Yo no tengo dineros que os dar por la llave, mas tomad
de ahí el pago.

El tomó un bodigo de aquéllos, el que mejor le pareció, y
dándome mi llave, se fue muy contento, dejándome más a mí.

Mas no toqué en nada por el presente, porque no fuese la
falta sentida y aun porque me vi de tanto bien señor, parecióme
que la hambre no se me osaba allegar. Vino el·mísero de mi amo, y
quiso Dios no miró en la oblada, que el ángel había llevado.

Yo otro día, en saliendo de casa, abro mi paraíso panal, y
tomo entre las manos y dientes un bodigo, y, en dos credos, le
hice invisible, no se me olvidando el arca abierta. Y comienzo
a barrer la casa con mucha alegría, pareciéndome con aquel remedio remediar desde en adelante la triste vida. Y así estuve
con ello, aquel día y otro, gozoso.

Mas no estaba en dicha que me durase mucho aquel descanso, porque luego al tercero día me vino la terciana derecha.
Y fue, que veo a deshora al que me mataba de hambre sobre nuestro arcaz, volviendo y revolviendo, contando y tornando a contar los panes. Yo disimulaba y en mi secreta oración y devocio-
nes y plegarias decía:

—¡San Juan, y ciégale!

Después que estuvo un gran rato echando la cuenta, por días y dedos contando, dijo:

—Si no tuviera a tan buen recado esta arca, yo dijera que me habían tomado della panes. Pero de hoy más, sólo por cerrar la puerta a la sospecha, quiero tener buena cuenta con ellos: nueve quedan y un pedazo.

—Nuevas malas te dé Dios —dije yo entre mí.

Parecióme con lo que dijo pasarme el corazón con saeta de montero, y comenzóme el estómago a escarbar de hambre, viéndose puesto en la dieta pasada. Fué fuera de casa. Yo por consolarme, abro el aıca, y como vi el pan, comencélo de adorar, no osando recibirlo. Contélos, si a dicha el lacerado se errara, y hallé su cuenta más verdadera que yo quisiera. Lo más que yo pude hacer fué darle en ellos mil besos, y, lo más delicado que yo pude, del partido partí un poco al pelo que él estaba, y con aquél pasé aquel día, no tan alegre como el pasado.

Mas como la hambre creciese, mayormente que tenía el estómago hecho a más pan aquellos dos o tres días ya dichos, moría mala muerte, tanto que otra cosa no hacía en viéndome solo, sino abrir y cerrar el arca y contemplar en aquella cara de Dios, que así dicen los niños. Mas el mismo Dios, que socorre a los afligidos, viéndome en tal estrecho, trujo a mi memoria un pequeño remedio. Que considerando entre mí, dije:

—Este arquetón es viejo y grande, y roto por algunas partes, aunque pequeños agujeros. Puédese pensar que ratones entrando en él hacen daño a este pan. Sacarlo entero no es cosa conveniente, porque verá la falta el que en tanta me hace vivir. Esto bien se sufre.

Y comienzo a desmigajar el pan sobre unos no muy costosos manteles que allí estaban, y tomo uno y dejo otro, de manera que en cada cual de tres o cuatro, desmigajé su poco. Después, como quien toma grajea, lo comí y algo me consolé. Mas él, como viniese a comer y abriese el arca, vió el mal pesar, y sin duda creyó ser ratones los que el daño habían hecho, porque estaba muy al propio contrahecho de como ellos lo suelen hacer. Miró todo el arca de un cabo a otro y vióle ciertos agujeros por do sospechaba habían entrado. Llamóme, diciendo:

—¡Lázaro! ¡Mira qué persecución ha venido aquesta noche por nuestro pan!

Yo híceme muy maravillado, preguntándole qué sería.

—¿Qué ha de ser? —dijo él—. Ratones que no dejan cosa a vida.

Pusímonos a comer y quiso Dios que aun en eso me fué bien, que me cupo más pan que la laceria que me solía dar, porque rayó con un cuchillo todo lo que pensó ser ratonado, diciendo:

—Cómete eso, que el ratón cosa limpia es.

Y así aquel día, añadiendo la ración del trabajo de mis manos, o de mis uñas, por mejor decir, acabamos de comer, aunque yo nunca empezaba.

Y luego me vino otro sobresalto, que fué verle andar solícito quitando clavos de paredes y buscando tablillas, con las cuales clavó y cerró todos los agujeros de la vieja arca.

—¡Oh señor mío, dije yo entonces; a cuánta miseria y fortuna y desastres estamos puestos los nacidos, y cuán poco duran los placeres de esta nuestra trabajosa vida! Héme aquí, que pensaba con este pobre y triste remedio remediar y pasar mi laceria, y estaba ya cuanto que alegre y de buena ventura. Mas no quiso mi desdicha, despertando a este lacerado de mi amo, y poniéndole más diligencia de la que él de suyo se tenía (pues los míseros, por la mayor parte, nunca de aquélla carecen), agora, cerrando los agujeros del arca, cerrase la puerta a mi consuelo y la abriese a mis trabajos.

Así lamentaba yo, en tanto que mi solícito carpintero con muchos clavos y tablillas, dió fin a sus obras, diciendo:

—Agora, donos traidores ratones, conviéneos mudar propósito, que en esta casa mala medra tenéis.

De que salió de su casa, voy a ver la obra y hallé que no dejó en la triste y vieja arca agujero, ni aun por donde le pudiese entrar un mosquito. Abro con mi desaprovechada llave, sin esperanza de sacar provecho y vi los dos o tres panes comenzados, los que mi amo creyó ser ratonados, y de ellos todavía saqué alguna laceria, tocándolos muy ligeramente, a uso de esgrimidor diestro.

Como la necesidad sea tan gran maestra, viéndome con tanta siempre, noche y día estaba pensando la manera que tendría en sustentar el vivir. Y pienso, para hallar estos negros remedios, que me era luz la hambre, pues dicen que el ingenio con ella se avisa, y al contrario con la hartura, y así era por cierto en mí.

Pues, estando una noche desvelado en este pensamiento, pensando cómo me podría valer y aprovecharme del arcaz, sentí que mi amo dormía, porque lo mostraba con roncar y en unos resoplidos grandes, que daba cuando estaba durmiendo. Levantéme muy quedito, y, habiendo en el día pensado lo que había de hacer y dejando un cuchillo viejo, que por allí andaba, en parte do le hallase, voyme al triste arcaz, y por do había mirado tener menos defensa, le acometí con el cuchillo, que a manera de barreno dél usé. Y como la antiquísima arca, por ser de tantos años, la hallase sin fuerza y corazón, antes muy blanda y carcomida, luego se me rindió y consintió en su costado, por mi remedio un buen agujero. Esto hecho, abro muy paso la llagada arca, y al tiento del pan, que hallé partido, hice según de yuso está escrito. Y con aquello, algún tanto consolado, tornando a cerrar, me volví a mis pajas, en las cuales reposé y dormí un poco.

Lo cual yo hacía mal, y echábalo al no comer, y así sería, porque cierto en aquel tiempo no me debían de quitar el sueño los cuidados del rey de Francia.

Otro día fué por el señor mi amo visto el daño, así del pan como del agujero, que yo había hecho, y comenzó a dar al diablo los ratones y decir:

—¿Qué diremos a esto? ¡Nunca haber sentido ratones en esta casa sino ahora!

Y sin duda debía de decir verdad, porque si casa había de haber en el reino justamente de ellos privilegiada, aquella de razón había de ser, porque no suelen morar donde no hay que comer. Torna a buscar clavos por la casa y por las paredes, y tablillas y a tapárselos. Venida la noche y su reposo, luego era yo puesto en pie con mi aparejo, y, cuantos él tapaba de día, destapaba yo de noche.

En tal manera fue, y tal prisa nos dimos, que sin duda por esto se debió decir: *Donde una puerta se cierra otra se abre.* Finalmente, parecíamos tener a destajo la tela de Penélope; pues, cuanto él tejía de día, rompía yo de noche. Ya en pocos días y noches pusimos la pobre despensa de tal forma, que quien quisiera propiamente de ella hablar, más corazas viejas de otro tiem-

po que no arcaz la llamara, según la clavazón y tachuelas sobre
sí tenía.

De que vió no le aprovechar nada su remedio, dijo:

—Ese arcaz está tan maltratado, y es de madera tan vieja y
flaca, que no habrá ratón a quien se defienda. Y va ya tal que,
si andamos más con él, nos dejará sin guarda; y aun lo peor, que
aunque hace poca, todavía hará falta faltando y me pondrá en
costa de tres a cuatro reales. El mejor remedio que hallo, pues
el de hasta aquí no aprovecha, armaré por de dentro a estos
ratones malditos.

Luego buscó prestada una ratonera, y con cortezas de queso,
que a los vecinos pedía, contino el gato estaba armado dentro
del arca. Lo cual era para mí singular auxilio, porque, puesto caso
que yo no había menester muchas salsas para comer, todavía me
holgaba con las cortezas del queso, que de la ratonera sacaba, y
sin esto no perdonaba el ratonar del bodigo.

Como hallase el pan ratonado, y el queso comido, y no cayese el ratón que lo comía, dábase al diablo, preguntaba a los
vecinos ¿qué podría ser comer el queso y sacarlo de la ratonera
y no caer ni quedar dentro el ratón, y hallar caída la trampilla
del gato?

Acordaron los vecinos no ser el ratón el que este daño hacía,
porque no fuera menos de haber caído alguna vez. Díjole un
vecino:

—En vuestra casa yo me acuerdo que solía andar una culebra y ésta debe de ser sin duda, y lleva razón, que, como es larga, tiene lugar de tomar el cebo, y, aunque le coja la trampilla
encima, como no entre toda dentro, tórnase a salir.

Cuadró a todos los que aquél dijo, y alteró mucho a mi amo.
Y desde en adelante no dormía tan a sueño suelto; que, cualquier gusano de la madera que de noche sonase, pensaba ser la
culebra que le roía el arca. Y luego era puesto en pie, y con un
garrote que a la cabecera desde que aquello le dijeron, ponía,
daba en la pecadora del arca grandes garrotazos, pensando espantar la culebra.

A los vecinos despertaba con el estruendo que hacía, y a mí
no dejaba dormir. Ibase a mis pajas y trastornábalas, y a mí con
ellas, pensando que se iba para mí y se envolvía en mis pajas
o en mi sayo. Porque le decían que de noche acaecía a estos ani-

males, buscando calor, ir a las cunas donde están criaturas, y
aun morderlas y hacerles peligrar.

Yo las más veces hacía del dormido y en la mañana decíame
él:

—Esta noche, mozo, ¿no sentiste nada? Pues tras la culebra
anduve, y aun pienso se ha de ir para ti a la cama, que son muy
frías y buscan calor.

—¡Plega a Dios que no me muerda, decía yo, que harto miedo le tengo!

De esta manera andaba tan elevado y levantado del sueño,
que, mi fe, la culebra, o el culebro, por mejor decir, no osaba
roer de noche ni levantarse al arca. Mas de día, mientras estaba
en la iglesia, o por el lugar, hacía mis saltos. Los cuales daños
viendo él, y el poco remedio que les podía poner, andaba de noche, como digo, hecho trasgo.

Yo hube miedo que con aquellas diligencias no me topase
con la llave que debajo de las pajas tenía, y parecióme lo más
seguro meterla de noche en la boca. Porque ya desde que viví
con el ciego la tenía tan hecha bolsa, que me acaeció tener en ella
doce o quince maravedís, todo en medias blancas, sin que me
estorbasen el comer. Porque de otra manera no era señor de una
blanca que el maldito ciego no cayese con ella, no dejando costura ni remiendo que no me buscaba muy a menudo.

Pues ansí, como digo, metía cada noche la llave en la boca,
y dormía sin recelo que el brujo de mi amo cayese con ella; mas,
cuando la desdicha ha de venir, por demás es la diligencia. Quisieron mis hados, o, por mejor decir mis pecados, que, una noche
que estaba durmiendo, la llave se me puso en la boca, que abierta debía tener, de manera y tal postura, que el aire y resoplo,
que yo, durmiendo echaba, salía por lo hueco de la llave, que
de cañuto era y silbaba, según mi desastre quiso, muy recio, de
tal manera que el sobresaltado de mi amo lo oyó, y creyó sin
duda ser el silbo de la culebra, y cierto lo debía parecer.

Levantóse muy paso con su garrote en la mano, y al tiento y
sonido de la culebra, se llegó a mí con mucha quietud, por no ser
sentido de la culebra. Y, como cerca se vió, pensó que allí en
las pajas, do yo estaba echado, al calor mío se había venido. Le-
vantando bien el palo, pensando tenerla debajo y darle tal garrotazo que la matase, con toda su fuerza me descargó en la

cabeza un tan gran golpe, que sin ningún sentido y muy mal descalabrado me dejó.

Como sintió que me había dado, según yo debía hacer gran sentimiento con el fiero golpe, contaba él que se había llegado a mí, y dándome grandes voces, llamándome, procuró recordarme. Mas, como me tocase con las manos, tentó la mucha sangre que se me iba, y conoció el daño que me había hecho. Y con mucha priesa fué a buscar lumbre, y llegando con ella, hallóme quejando todavía con mi llave en la boca, que nunca la desamparé, la mitad fuera, bien de aquella manera, que debía estar al tiempo que silbaba con ella.

Espantado el matador de culebras, qué podría ser aquella llave, miróla sacándomela del todo de la boca, y vió lo que era, porque en las guardas nada de la suya diferenciaba. Fué luego a probarla y con ella probó el maleficio.

Debió de decir el cruel cazador:

—El ratón y culebra, que me daban guerra y me comían mi hacienda, he hallado.

De lo que sucedió en aquellos tres días siguientes, ninguna fe daré, porque los tuve en el vientre de la ballena, mas de cómo esto, que he contado, oí, después que en mí torné, decir a mi amo, el cual a cuantos allí venían lo contaba por extenso.

A cabo de tres días yo torné en mi sentido y vime echado en mis pajas, la cabeza toda emplastada y llena de aceites y ungüentos y espantado, dije:

—¿Qué es esto?

Respondióme el cruel sacerdote:

—A fe que los ratones y culebras que me destruían, ya los he cazado.

Y miré por mí, y vime tan maltratado, que luego sospeché mi mal.

A esta hora entró una vieja que ensalmaba, y los vecinos, y comiénzanme a quitar trapos de la cabeza y curar el garrotazo. Y como me hallaron vuelto en mi sentido, holgáronse mucho, y dijeron:

—Pues ha tornado en su acuerdo, placerá a Dios no será nada.

Ahí tornaron de nuevo a contar mis cuitas, y a reírlas, y yo pecador a llorarlas. Con todo esto, diéronme de comer, que estaba transido de hambre y apenas me pudieron remediar. Y así, de poco en poco, a los quince días me levanté y estuve sin peligro, mas no sin hambre, y medio sano.

Luego otro día que fuí levantado, el señor mi amo me tomó por la mano y sacóme la puerta afuera, y puesto en la calle, díjome:

—Lázaro, de hoy más eres tuyo y no mío. Busca amo y vete con Dios, que yo no quiero en mi compañía tan diligente servidor. No es posible sino que hayas sido mozo de ciego.

Y santiguándose de mí, como si yo estuviera endemoniado, se torna a meter en casa y cierra su puerta.

TRATADO TERCERO

DE CÓMO LÁZARO SE ASENTÓ CON UN ESCUDERO Y DE LO QUE LE ACAECIÓ CON ÉL

De esta manera me fué forzado sacar fuerzas de flaqueza, y poco a poco, con ayuda de las buenas gentes, di conmigo en esta insigne ciudad de Toledo, adonde, con la merced de Dios, dende a quince días se me cerró la herida. Y mientras estaba malo siempre me daban alguna limosna; mas después que estuve sano todos me decían:

—Tú, bellaco y gallofero eres. Busca, busca un buen amo a quien sirvas.

—¿Y adónde se hallará ése —decía yo entre mí— si Dios agora de nuevo, como crió el mundo, no le criase?

Andando así discurriendo de puerta en puerta con harto poco remedio, porque ya la caridad se subió al cielo, topóme Dios con un escudero que iba por la calle con razonable vestido, bien peinado, su paso y compás en orden.

Miróme, y yo a él, y díjome:

—Muchacho, ¿buscas amo?

Yo le dije:

—Sí, señor.

—Pues vente tras mí —me respondió—, que Dios te ha hecho merced en topar conmigo. Alguna buena oración rezaste hoy.

Y seguíle, dando gracias a Dios por lo que le oí, y también que me parecía, según su hábito y continente, ser el que yo había menester.

Era de mañana cuando éste mi tercero amo topé. Y llevóme tras sí gran parte de la ciudad. Pasábamos por las plazas donde se vendía pan y otras provisiones. Yo pensaba, y aun deseaba, que allí me quería cargar de lo que se vendía, porque ésta era

propia hora cuando se suele proveer de lo necesario. Mas muy
a tendido paso pasaba por estas cosas.

—Por ventura no le ve aquí a su contento —decía yo— y
querrá que lo compremos en otro cabo.

Desta manera anduvimos hasta que dió las once. Entonces
se entró en la iglesia mayor, y yo tras él, y muy devotamente le
vi oír misa, y los otros oficios divinos, hasta que todo fue acabado
y la gente ida. Entonces salimos de la iglesia, y a buen paso
tendido, comenzamos a ir por una calle abajo. Yo iba ya el más
alegre del mundo, en ver que no nos habíamos ocupado en buscar de comer. Bien consideré que debía ser hombre mi nuevo
amo, que se proveía en junto, y que ya la comida estaría a punto,
y tal como yo la deseaba y aun había menester.

En este tiempo dió el reloj la una después de mediodía, y llegamos a una casa, ante la cual mi amo se paró, y yo con él, y
derribando el cabo de la capa sobre el lado izquierdo, sacó una
llave de la manga y abrió su puerta y entramos en casa. La cual
tenía la entrada obscura y lóbrega, de tal manera, que parecía
que ponía temor a los que en ella entraban; aunque dentro de
ella estaba un patio pequeño y razonables cámaras.

Desque fuimos entrados, quita de sobre sí su capa, y, preguntando si tenía las manos limpias, la sacudimos y doblamos y
muy limpiamente soplando un poyo que allí estaba, la puso en
él. Y, hecho esto, sentóse cabo della, preguntándome muy por
extenso de dónde era, y cómo había venido a aquella ciudad.

Yo le di más larga cuenta que quisiera, porque me parecía
más conveniente hora de mandar poner la mesa y escudillar la
olla, que de lo que me pedía. Con todo eso, yo le satisfice de mi
persona lo mejor que mentir supe, diciendo mis bienes y callan-
do lo demás, porque me parecía no ser para en cámara. Esto
hecho, estuvo así un poco, y yo luego vi mala señal, por ser ya
casi las dos y no le ver más aliento de comer que a un muerto.

Después desto, consideraba aquel tener cerrada la puerta con
llave, ni sentir arriba ni abajo pasos de viva persona por la casa.
Todo lo que yo había visto eran paredes, sin ver en ella silleta,
ni tajo, ni banco, ni mesa, ni aun tal arcaz como el de marras.
Finalmente, ella parecía casa encantada. Estando así, díjome:

—Tú, mozo, ¿has comido?

—No, señor —dije yo—; que aun no eran dadas las ocho cuando con vuestra merced encontré.

—Pues, aunque de mañana, yo había almorzado, y cuando ansí como algo, hágote saber que hasta la noche me estoy así. Por eso, pásate como pudieres, que después cenaremos.

Vuestra merced crea, cuando esto le oí, que estuve en poco de caer de mi estado, no tanto de hambre, como por conocer de todo en todo la fortuna serme adversa. Allí se me representaron de nuevo mis fatigas, y torné a llorar mis trabajos. Allí se me vino a la memoria la consideración que hacía cuando me pensaba ir del clérigo, diciendo que, aunque aquél era desventurado y mísero, por ventura toparía con otro peor. Finalmente, allí lloré mi trabajosa vida pasada y mi cercana muerte venidera.

Y con todo, disimulando lo mejor que pude, dije:

—Señor, mozo soy que no me fatigo mucho por comer, bendito Dios. De eso me podré yo alabar entre todos mis iguales, por de mejor garganta, y ansí fuí yo loado della hasta hoy día de los amos que yo he tenido.

—Virtud es ésa —dijo él— y por eso te querré yo más. Porque el hartar es de los puercos, y el comer regladamente es de los hombres de bien.

—¡Bien te he entendido! —dije entre mí—. ¡Maldita sea tanta medicina y bondad como aquestos mis amos, que yo hallo, hallan en la hambre!

Púseme a un cabo del portal, y saqué unos pedazos de pan del seno, que me habían quedado de los de por Dios.

El, que vió esto, díjome:

—Ven acá, mozo, ¿qué comes?

Yo lleguéme a él, y mostréle el pan. Tomóme él un pedazo de tres que eran, el mejor y más grande, y díjome:

—Por mi vida que parece éste buen pan.

—¡Y cómo agora —dije yo—, señor, es bueno?

—Sí, a fe —dijo él—. ¿Adónde lo hubiste? ¿Si es amasado de manos limpias?

—No sé yo eso —le dije—; mas a mí no me pone asco el sabor dello.

—¡Así plega a Dios! —dijo el pobre de mi amo.

Y, llevándolo a la boca, comenzó a dar en él tan fieros bocados como yo en lo otro.

—¡Sabrosísimo pan está —dijo— por Dios!

Y como le sentí de qué pie cojeaba, dime priesa, porque le vi en disposición, si acababa antes que yo, se comediría a ayudarme a lo que me quedase. Y con esto acabamos casi a una. Y mi amo comenzó a sacudir con las manos unas pocas de migajas, y bien menudas, que en los pechos se le habían quedado. Y entró en una camareta que allí estaba, y sacó un jarro desbocado, y no muy nuevo, y desque hubo bebido, convidóme con él.

Yo, por hacer del continente, dije:

—Señor, no bebo vino.

—Agua es —me respondió—; bien puedes beber.

Entonces tomé el jarro y bebí, no mucho, porque de sed no era mi congoja.

Así estuvimos hasta la noche, hablando en cosas que me preguntaba, a las cuales yo le respondí lo que mejor supe. En este tiempo metióme en la cámara donde estaba el jarro de que bebimos, y díjome:

—Mozo, parate allí, y verás cómo hacemos esta cama, para que la sepas hacer de aquí adelante.

Púseme de un cabo y él de otro, e hicimos la negra cama, en la cual no había mucho que hacer, porque ella tenía sobre unos bancos un cañizo, sobre el cual estaba tendida la ropa encima de un negro colchón, que por no estar muy continuado a lavarse, no parecía colchón, aunque servía de él, con harta menos lana que era menester. Aquél tendimos, haciendo cuenta de ablandarle, lo cual era imposible, porque de lo duro mal se puede hacer blando. El diablo del enjalma, maldita la cosa tenía dentro de sí, que, puesto sobre el cañizo todas las cañas se señalaban, y parecían a lo propio, entrecuesto de flaquísimo puerco. Y, sobre aquel hambriento colchón, un alfamar del mesmo jaez, del cual el color yo no pude alcanzar.

Hecha la cama, y la noche venida, díjome:

—Lázaro, ya es tarde, y de aquí a la plaza hay gran trecho. También en esta ciudad andan muchos ladrones, que siendo de noche capean. Pasemos como podamos, y mañana, viniendo el día, Dios hará merced. Porque yo, por estar solo, no estoy proveído; antes he comido estos días por allá fuera. Mas ahora hacerlo hemos de otra manera.

—Señor, de mí —dije yo— ninguna pena tenga vuestra merced, que sé pasar una noche, y aun más, si es menester, sin comer.

—Vivirás más y más sano —me respondió—; porque, como
decíamos hoy, no hay tal cosa en el mundo para vivir mucho,
que comer poco.

—Si por esta vía es —dije entre mí—, nunca yo moriré, que
siempre he guardado esta regla por fuerza, y aun espero en mi
desdicha tenerla toda mi vida.

Y acostóse en la cama, poniendo por cabecera las calzas y
el jubón. Y mandóme echar a sus pies, lo cual yo hice. Mas
¡maldito el sueño que yo dormí! Porque las cañas y mis salidos
huesos en toda la noche dejaron de rifar y encenderse, que con
mis trabajos, males y hambre, pienso que en mi cuerpo no había
libra de carne, y también, como aquel día no había comido casi
nada, rabiaba de hambre, la cual con el sueño no tenía amistad.
Maldíjeme mil veces (¡Dios me lo perdone!), y a mi ruin fortuna allí lo más de la noche y, lo peor, no osándome revolver por
no despertarle, pedí a Dios muchas veces la muerte.

La mañana venida, levantámonos y comienza a limpiar y
sacudir sus calzas y jubón y sayo y capa. ¡Y yo que le servía de
pelillo! Y vístese muy a su placer despacio. Echéle agua manos,
peinóse y puso su espada en el talabarte, y al tiempo que la
ponía, díjome:

—¡Oh, si supieses, mozo, qué pieza es ésta! No hay marco
de oro en el mundo por que yo la diese. Mas ansí, ninguna de
cuantas Antonio hizo, no acertó a ponerle los aceros tan prestos
como ésta los tiene.

Y sacóla de la vaina y tentóla con los dedos, diciendo:

—¿Vesla aquí? Yo me obligo con ella cercenar un copo de
lana.

Y yo dije entre mí:

—Y yo con mis dientes, aunque no son de acero, un pan
de cuatro libras.

Tornóla a meter, y ciñósela a un sartal de cuentas gruesas del
talabarte. Y con un paso sosegado y el cuerpo derecho, haciendo con él y con la cabeza muy gentiles meneos, echando el cabo
de la capa sobre el hombro y a veces so el brazo, y poniendo
la mano derecha en el costado, salió por la puerta diciendo:

—Lázaro, mira por la casa en tanto que voy a oír misa, y

haz la cama, y vé por la vasija de agua al río que aquí abajo está, y cierra la puerta con llave, no nos hurten algo, y ponla aquí al quicio, porque si yo viniere en tanto, pueda entrar.

Y súbese por la calle arriba con tan gentil semblante y continente, que quien no le conociera pensara ser muy cercano pariente del conde Alarcos, o, a lo menos, camarero que le daba de vestir.

—¡Bendito seáis vos, Señor —quedé yo diciendo—, que dáis la enfermedad, y ponéis el remedio! ¿Quién encontrara a aquel mi señor, que no piense según el contento de sí lleva, haber anoche bien cenado, y dormido en buena cama, y aunque hora es de mañana, no le cuenten por muy bien almorzado? ¡Grandes secretos son, Señor, los que vos hacéis, y las gentes ignoran! ¿A quién no engañará aquella buena disposición y razonable capa y sayo? ¿Y quién pensará que aquel gentil hombre se pasó ayer todo el día con aquel mendrugo de pan, que su criado Lázaro trajo un día y una noche en el arca de su seno, do no se le podía pegar mucha limpieza; y hoy, lavándose las manos y cara, a falta de paño de manos, se hacía servir de la halda del sayo? ¡Nadie por cierto lo sospechara! ¡Oh Señor, y cuántos de aquestos debéis vos tener por el mundo derramados, que padecen por la negra que llamaban honra, lo que por vos no sufrirían!

Así estaba yo a la puerta, mirando y considerando estas cosas y otras muchas, hasta que el señor mi amo traspuso la larga y angosta calle. Y como le ví trasponer tornéme a entrar en casa y en un credo la anduve toda, alto y bajo, sin hacer represa ni hallar en qué. Hago la dura y negra cama y tomo el jarro y doy conmigo en el río, donde en una huerta vi a mi amo en gran recuesta con dos rebozadas mujeres, al parecer de las que en aquel lugar no hacen falta, antes muchas tienen por estilo de irse a las mañanicas del verano a refrescar y almorzar, sin llevar qué, por aquellas frescas riberas, con confianza que no ha de faltar quien se lo dé, según las tienen puestas en esta costumbre aquellos hidalgos del lugar.

Y como digo, él estaba entre ellas hecho un Macías, diciéndoles más dulzuras que Ovidio escribió. Pero, como sintieron dél que estaba muy enternecido, no se les hizo de vergüenza pedirle de almorzar, con el acostumbrado pago

El, sintiéndose tan frío de bolsa, cuanto caliente del estóma-

go, tomóle tal calofrío, que le robó la calor del gesto y comenzó
a turbarse en la plática, y a poner excusas no validas.

Ellas, que debían ser bien instituídas, como le sintieron la
enfermedad, dejáronle para el que era.

Yo, que estaba comiendo ciertos tronchos de berzas, con
las cuales me desayuné, con mucha diligencia, como mozo nuevo,
sin ser visto de mi amo, torné a casa, de la cual pensé barrer
alguna parte, que bien era menester, mas no hallé con qué. Púseme a pensar qué haría, y parecióme esperar a mi amo hasta
que el día demediase, y si veniese, y por ventura trajese algo que
comiésemos. Mas en vano fué mi esperanza.

Desque vi ser las dos y que no venía, y que la hambre me
aquejaba, cierro mi puerta y pongo la llave donde mandó y tór-
nome a mi menester. Con baja y enferma voz e inclinadas mis
manos en los senos, puesto Dios ante mis ojos y la lengua en
su nombre, comienzo a pedir pan por las puertas y casas más grandes que me parecía. Mas como yo este oficio le hubiese mama-
do en la leche, quiero decir que con el gran maestro ciego lo
aprendí, tan suficiente discípulo salí, que aunque en este pueblo
no había caridad, ni el año fuese muy abundante, tan buena maña me di, que antes que el reloj diese las cuatro, ya yo tenía
otras tantas libras de pan ensiladas en el cuerpo, y más de otras
dos en las mangas y senos.

Volvíme a la posada, y, al pasar por la tripería pedí a una
de aquellas mujeres, y dióme un pedazo de uña de vaca con otras
pocas de tripas cocidas.

Cuando llegué a casa, ya el bueno de mi amo estaba en ella,
doblada su capa y puesta en el poyo, y él paseándose por el
patio. Como entré, vínose para mí. Pensé que me quería reñir
la tardanza, mas mejor lo hizo Dios.

Preguntóme do venía.

Yo le dije:

—Señor, hasta que dió las dos estuve aquí y, de que vi que
vuestra merced no venía, fuíme por esa ciudad a encomendarme
a las buenas gentes, y hanme dado esto que veis.

Mostréle el pan y las tripas que en un cabo de la halda traía,
a lo cual él mostró buen semblante, y dijo:

—Pues esperádote he a comer, y, de que vi que no veniste,
comí. Mas tú haces como hombre de bien en eso; que más vale.

pedirlo por Dios, que no hurtado. Y así él me ayude, como
ello me parece bien, y solamente te encomiendo no sepan que
vives conmigo, por lo que toca a mi honra. Aunque bien creo
que será secreto según lo poco que en este pueblo soy conocido.
¡Nunca a él yo hubiera de venir!

—De eso pierda, señor, cuidado —le dije yo—, que maldito
aquel que ninguno tiene de pedirme esa cuenta, ni yo de darla.

—Agora pues come, pecador, que si a Dios place, presto
nos veremos sin necesidad. Aunque te digo que después que en esta
casa entré, nunca bien me ha ido. Debe ser de mal suelo; que
hay casas desdichadas y de mal pie, que a los que viven en ellas
pegan la desdicha. Esta debe ser, sin duda, de ellas. Mas yo te
prometo, acabado el mes, no quede en ella, aunque me la den
por mía.

Sentéme al cabo del poyo y porque no me tuviese por glo-
tón, callé la merienda; y comienzo a cenar y morder en mis tripas y pan, y disimuladamente miraba al desventurado señor mío,
que no partía sus ojos de mis haldas, que a aquella sazón ser-
vían de plato. Tanta lástima haya Dios de mí como yo había
de él, porque sentí lo que sentía, y muchas veces había por ello
pasado y pasaba cada día. Pensaba si sería bien comedirme a
convidarle. Mas por me haber dicho que había comido, temíame
no aceptaría el convite. Finalmente, yo deseaba aquel pecador
ayudase a su trabajo del mío, y se desayunase como el día antes
hizo, pues había mejor aparejo, por ser mejor la vianda y menos mi hambre.

Quiso Dios cumplir mi deseo, y aun pienso que el suyo, porque como comencé a comer y él se andaba paseando, llegóse a
mí, y díjome:

—Dígote, Lázaro, que tienes en comer la mejor gracia que
en mi vida vi a hombre, y que nadie te lo ve hacer que no
lo pongas ganas, aunque no la tenga.

—La muy buena que tú tienes —dije yo entre mí— te hace
parecer la mía hermosa.

Con todo, parecióme ayudarle, pues se ayudaba y me abría
camino para ello.

Y díjele:

—Señor, el buen aparejo hace buen artífice. Este pan está

sabrosísimo y esta uña de vaca tan bien cocida y sazonada, que no habrá a quien no convide con su sabor.

—¿Uña de vaca es?

—Sí, señor.

—Dígote que es el mejor bocado del mundo, y que no hay faisán que así me sepa.

—Pues pruebe, señor, y verá qué tal está.

Póngole en las uñas la otra, y tres o cuatro raciones de pan de lo más blanco. Y asentóseme al lado y comienza a comer, como aquel que lo había gana, royendo cada huesecillo de aquellos, mejor que un galgo suyo lo hiciera.

—Con almodrote —decía— es este singular manjar.

—Con mejor salsa lo comes tú —respondí yo paso.

—Por Dios que me ha sabido como si hoy no hubiera comido bocado.

—Así me vengan los buenos años como es ello —dije yo entre mí.

Pidióme el jarro del agua, y díselo como lo había traído; es señal que pues no le faltaba el agua, que no le había a mi amo sobrado la comida. Bebimos, y muy contentos nos fuimos a dormir como la noche pasada.

Y, por evitar prolijidad, desta manera estuvimos ocho o diez días, yéndose el pecador en la mañana, con aquel contento y paso contado, a papar aire por las calles, teniendo en el pobre Lázaro una cabeza de lobo.

Contemplaba yo muchas veces mi desastre, que escapando de los amos ruines que había tenido y buscando mejoría, viniese a topar con quien no sólo no me mantuviese, mas a quien yo había de mantener.

Con todo, le quería bien, con ver que no tenía ni podía más. Y antes le había lástima que enemistad, y muchas veces por llevar a la posada con que él lo pasase, yo la pasaba mal.

Porque una mañana, levantándose el triste en camisa, subió a lo alto de la casa a hacer sus menesteres, y en tanto yo por salir de sospecha, desenvolvíle el jubón y las calzas que a la cabecera dejó, y hallé una bolsilla de terciopelo raso, hecho cien dobleces, y sin maldita la blanca, ni señal que la hubiese tenido mucho tiempo.

—Este —decía yo— es pobre, y nadie da lo que no tiene. Mas

el avariento ciego y el mal aventurado mezquino clérigo, que con dárselo Dios a ambos, al uno de mano besada, y al otro de lengua suelta, me mataban de hambre, aquellos es justo desamar, y aqueste de haber mancilla.

Dios me es testigo que hoy día, cuando topo con alguno de su hábito, con aquel paso y pompa, le he lástima con pensar si padece lo que a aquél le vi sufrir, al cual, con toda su pobreza, holgaría de servir, más que a los otros por lo que he dicho.

Sólo tenía de él un poco de descontento, que quisiera yo que no tuviera tanta presunción, mas que abajara un poco su fantasía con lo mucho que subía su necesidad. Mas, según me parece, es regla ya entre ellos usada y guardada: aunque no haya cornado de trueco ha de andar el birrete en su lugar. El Señor lo remedie, que ya con este mal han de morir.

Pues, estando yo en tal estado, pasando la vida que digo, quiso mi mala fortuna —que de perseguirme no era satisfecha— que en aquella trabajada y vergonzosa vivienda no durase. Y fué, como el año en esta tierra fuese estéril de pan, acordaron el ayuntamiento que todos los pobres extranjeros se fuesen de la ciudad, con pregón que, el que de allí adelante topasen, fuese punido con azotes. Y ansí, ejecutando la ley, desde a cuatro días que el pregón se dió, vi llevar una procesión de pobres azotando por las cuatro calles, lo cual me puso tan gran espanto, que nunca osé desmandarme a demandar.

Aquí viera, quien verlo pudiera, la abstinencia de mi casa y la tristeza y silencio de los moradores, tanto, que nos acaeció estar dos o tres días sin comer bocado, ni hablar palabra. A mí diéronme la vida unas mujercillas hilanderas de algodón que hacían bonetes, y vivían par de nosotros, con las cuales yo tuve vecindad y conocimiento; que de la laceria que les traían, me daban alguna cosilla, con la cual muy pasado me pasaba.

Y yo no tenía tanta lástima de mí como del lastimado de mi amo, que en ocho días maldito el bocado que comió, a lo menos en casa bien lo estuvimos sin comer. No sé yo, cómo o dónde andaba, y qué comía.

¡Y verle venir a mediodía la calle abajo con estirado cuerpo, más largo que galgo de buena casta! Y por lo que toca a su negra —que dicen honra— tomaba una paja de las que aún asaz no había en casa, y salía a la puerta escarbando los dientes, que nada entre sí tenían, quejándose todavía de aquel mal solar, diciendo:

—Malo está de ver, que la desdicha de esta vivienda lo hace. Como ves, es lóbrega, triste, obscura; mientras aquí estuviéremos hemos de padecer. Ya deseo se acabe este mes, por salir della.

Pues estando en esta afligida y hambrienta persecución, un día, no sé por cuál dicha o ventura, en el pobre poder de mi amo entró un real, con el cual él vino a casa tan ufano, como si tuviera el tesoro de Venecia, y, con gesto muy alegre y risueño, me lo dió, diciendo:

—Toma, Lázaro, que Dios ya va abriendo su mano. Vé a la plaza y merca pan y vino y carne ¡quebremos el ojo al diablo! Y más te hago saber, porque te huelgues: que he alquilado otra casa y en esta desastrada no hemos de estar más de en cumpliendo el mes. ¡Maldita sea ella y el que en ella puso la primera teja, que con mal en ella entré! Por nuestro Señor, cuanto ha que en ella vivo, gota de vino ni bocado de carne no he comido, ni he habido descanso ninguno. Mas ¡tal vista tiene y tal obscuridad y tristeza! Vé y ven presto, y comamos hoy como condes.

Tomo mi real y el jarro, y a los pies dándoles prisa, comienzo a subir mi calle, encaminando mis pasos para la plaza muy contento y alegre ¿Mas qué me aprovecha, si está constituído en mi triste fortuna que ningún gozo me venga sin zozobra?

Y así fué éste. Porque yendo la calle arriba, echando mi cuenta en lo que emplearía mi real, que fuese mejor y más provechosamente gastado, dando infinitas gracias a Dios, que a mi amo había hecho con dinero, a deshora me vino al encuentro un muerto, que por la calle abajo muchos clérigos y gente en unas andas traían. Arriméme a la pared por darles lugar, y desque el cuerpo pasó, venía luego a par del lecho una que debía ser mujer del difunto, cargada de luto, y con ella otras muchas mujeres; la cual iba llorando a grandes voces y diciendo:

—Marido y señor mío, ¿adónde os me llevan? ¡A la casa triste y desdichada, a la casa lóbrega y obscura, a la casa donde nunca comen ni beben!

Yo que aquello oí, juntóseme el cielo con la tierra, y dije:

—¡Oh desdichado de mí! ¡Para mi casa llevan este muerto! Dejo el camino que llevaba, y hendí por medio de la gente, y vuelvo por la calle abajo a todo el más correr que pude para mi casa. Y entrando en ella cierro a grande prisa, invocando el auxilio y favor de mi amo, abrazándome dél, que me venga a ayudar y a defender la entrada.

El cual algo alterado, pensando que fuese otra cosa, me dijo:

—¿Qué es eso, mozo? ¿Qué voces das? ¿Qué has? ¿Por qué cierras la puerta con tal furia?

—Oh señor —dije yo—, acuda aquí, que nos traen acá un muerto.

—¿Cómo ansí? —respondió él.

—Aquí arriba lo encontré y venía diciendo su mujer: "Marido y señor mío, ¿adónde os llevan? ¡A la casa lóbrega y obscura, a la casa triste y desdichada, a la casa donde nunca comen ni beben!" ¡Acá, señor, nos le traen!

Y ciertamente cuando mi amo esto oyó, aunque no tenía por qué estar muy risueño, rió tanto, que muy gran rato estuvo sin poder hablar. En este tiempo tenía yo echada la aldaba a la puerta, y puesto el hombro en ella por más defensa. Pasó la gente con su muerto, y yo todavía me recelaba que nos le habían de meter en casa. Y desque fué ya más harto de reír que de comer el buen de mi amo, díjome:

—Verdad es, Lázaro, según la viuda lo va diciendo tú tuviste razón en pensar lo que pensaste; mas, pues Dios lo ha hecho mejor y pasan adelante, abre, abre, y ve por de comer.

—Déjalos, señor; acaben de pasar la calle —dije yo.

Al fin vino mi amo a la puerta de la calle, y ábrela esforzándome, que bien era menester según el miedo y alteración, y me torno a encaminar. Mas aunque comimos bien aquel día, maldito el gusto yo tomaba en ello. Ni en aquellos tres días torné en mi color, y mi amo muy risueño, todas las veces que se acordaba aquella mi consideración.

Desta manera estuve con mi tercero y pobre amo, que fué este escudero, algunos días, y en todos deseando saber la intención de su venida y estada en esta tierra. Porque desde el primer día que con él asenté, le conocí ser extranjero, por el poco conocimiento y trato que con los naturales de ella tenía.

Al fin se cumplió mi deseo, y supe lo que deseaba porque, un día que habíamos comido razonablemente y estaba algo contento, contóme su hacienda, y díjome ser de Castilla la Vieja, y que había dejado su tierra no más de por no quitar el bonete a un caballero vecino.

—Señor —dije yo—, si él era lo que decís y tenía más que vos, no errábades en no quitárselo primero, pues decís que él también os lo quitaba.

—Sí es, y sí tiene, y también me lo quitaba él a mí; mas, de cuantas veces yo se le quitaba primero, no fuera malo comedirse él alguna y ganarme por la mano.

—Paréceme, señor —le dije yo—, que en eso no mirara, mayormente con mis mayores que yo y que tienen más.

—Eres muchacho —me respondió—, y no sientes las cosas de la honra, en que el día de hoy está todo el caudal de los hombres de bien. Pues te hago saber que yo soy —como ves— un escudero; mas vótote a Dios, si al conde topo en la calle y no me quita, muy bien quitado del todo el bonete, que otra vez que venga, me sepa yo entrar en una casa fingiendo yo en ella algún negocio, o atravesar otra calle si la hay, antes que llegue a mí, por no quitárselo; que un hidalgo no debe a otro que a Dios y al rey nada ni es justo, siendo hombre de bien, se descuide un punto de tener en mucho su persona.

Acuérdome, que un día deshonré en mi tierra a un oficial, y quise poner en él las manos, porque cada vez que le topaba me decía:

—Mantenga Dios a vuestra merced.

—Vos, don villano ruin —le dije yo—, ¿por qué no sois bien criado? ¿Manténgaos Dios, me habéis de decir, como si fuese quienquiera? De allí adelante, de aquí acullá me quitaba el bonete, y hablaba como debía.

—¿Y no es buena manera de saludar un hombre a otro —dije yo— decirle que le mantenga Dios?

—¡Mirá, mucho de enhoramala! —dijo él—. A los hombres de poco arte dicen eso; mas, a los más altos como yo, no les han de hablar menos de: beso las manos de vuestra merced, o por lo menos: bésoos, señor, las manos, si el que habla es caballero. Y así, aquel de mi tierra, que me atestaba de mantenimiento, nunca más le quise sufrir, ni sufriría, ni sufriré a hombre del mundo, del rey abajo, que "manténgaos Dios" me diga.

—Pecador de mí —dije yo—, por eso tiene tan poco cuidado de mantenerte, pues no sufres que nadie se lo ruegue.

—Mayormente —dijo— que no soy tan pobre, que no tengo
en mi tierra un solar de casas, que, a estar ellas en pie y bien
labradas, diez y seis leguas de donde nací, en aquella costanilla
de Valladolid, valdrían más de doscientas veces mil maravedís,
según se podrían hacer grandes y buenas. Y tengo un palomar
que, a no estar derribado como está, daría cada año más de
doscientos palominos. Y otras cosas que me callo, que dejé por
lo que tocaba a mi honra. Y vine a esta ciudad pensando que
hallaría un buen asiento; mas no me ha sucedido como pensé.
Canónigos y señores de la Iglesia, muchos hallo; mas es gente
tan limitada, que no los sacaran de su paso todo el mundo. Caballeros de media talla también me ruegan; mas servir con éstos
es gran trabajo, porque de hombre os habéis de convertir en
malilla, y si no, ¡andá con Dios! os dicen, y las más veces, son
los pagamentos a largos plazos, y las más y las más ciertas, comido por servido. Ya, cuando quieren reformar conciencia, y
satisfaceros vuestros sudores, sois librados en la recámara, en un
sudado jubón, o raída capa o sayo. Ya, cuando asienta un hombre con un señor de título, todavía pasa su laceria. Pues, por
ventura ¿no hay en mí habilidad para servir y contentar a éstos?
Por Dios, si con él topase, muy gran su privado pienso que fuese,
y que mil servicios le hiciese, porque mentirle también sabría
como otro, y agradarle a las mil maravillas. Reírle ya mucho
sus donaires y costumbres, aunque no fuesen las mejores del
mundo. Nunca decirle cosa con que le pesase, aunque mucho
le cumpliese. Ser muy diligente en su persona, en dicho y hecho.
No me matar por no hacer bien las cosas que él no había de
ver. Y ponerme a reñir, donde lo oyese con la gente de servicio,
porque paresciese tener gran cuidado de lo que a él tocaba. Si
riñese con algún su criado, dar unos puntillos agudos para le en-
cender la ira, y que paresciesen en favor del culpado. Decirle bien
de lo que bien le estuviese, y por el contrario, ser malicioso, mofa-
dor, malsinar a los de casa y a los de fuera, pesquisar y procurar
de saber vidas ajenas para contárselas; y otras muchas galas de
esta calidad, que hoy día se usan en palacio, y a los señores dél
parecen bien. Y no quieren ver en sus casas hombres virtuosos,
antes los aborrecen y tienen en poco y llaman necios y que no
son personas de negocios, ni con quien el señor se puede descui-

dar. Y con éstos, los astutos usan, como digo, el día de hoy, de lo que yo usaría. Mas no quiere mi ventura que le halle.

Desta manera lamentaba también su adversa fortuna mi amo, dándome relación de su persona valerosa.

Pues, estando en esto, entró por la puerta un hombre y una vieja. El hombre le pide el alquiler de la casa, y la vieja el de la cama. Hacen cuenta, y de dos meses le alcanzaron lo que él en un año no alcanzara: pienso que fueron doce o trece reales. Y él les dió muy buena respuesta: que saldría a la plaza a trocar una pieza de a dos, y que a la tarde volviesen; mas su salida fue sin vuelta.

Por manera, que a la tarde ellos volvieron, mas fué tarde. Yo les dije que aun no era venido. Venida la noche, y él no, yo hube miedo de quedar en casa solo y fuíme a las vecinas, y contélas el caso, y allí dormí.

Venida la mañana, los acreedores vuelven y preguntan por el vecino; mas a esotra puerta. Las mujeres le responden:

—Veis aquí su mozo y la llave de la puerta.

Ellos me preguntaron por él y díjeles que no sabía adónde estaba y que tampoco había vuelto a casa, desde que salió a trocar la pieza, y pensaba que de mí y de ellos se había ido con el trueco.

De que esto me oyeron, van por un alguacil y un escribano, y hélos do vuelven luego con ellos y toman la llave y llámanme, y llaman testigos y abren la puerta, y entran a embargar la hacienda de mi amo hasta ser pagados de su deuda.

Anduvieron toda la casa, y halláronla desembarazada, como he contado, y dícenme:

—¿Qué es de la hacienda de tu amo, sus arcas y paños de pared y alhajas de casa?

—No sé yo eso —les respondí.

—Sin duda —dicen— esta noche lo deben haber alzado y llevado a alguna parte. Señor alguacil, prended a este mozo, que él sabe dónde está.

En esto vino el alguacil y echóme mano por el collar del jubón, diciendo:

—Muchacho, tú eres preso, si no descubres los bienes de este tu amo.

Yo, como en otra tal no me hubiese visto —porque asido del

collar sí había sido muchas e infinitas veces, mas era mansamente dél trabado, para que mostrase el camino al que no veía—, yo hube mucho miedo, y llorando prometíle de decir lo que preguntaban.

—Bien está —dicen ellos—. Pues di lo que sabes, y no hayas temor.

Sentóse el escribano en un poyo para escribir el inventario, preguntándome qué tenía.

—Señores —dije yo—, lo que este mi amo tiene según él me dijo, es un muy buen solar de casas y un palomar derribado.

—Bien está —dicen ellos—; por poco que eso valga hay para nos entregar de la deuda. ¿Y a qué parte de la ciudad tiene eso? —me preguntaron.

—En su tierra —les respondí yo.

—Por Dios, que está bueno el negocio —dijeron ellos—. ¿Y adónde es su tierra?

—De Castilla la Vieja, me dijo él que era— les dije yo.

Riéronse mucho el alguacil y el escribano, diciendo:

—Bastante relación es ésta para cobrar vuestra deuda, aunque mejor fuese.

Las vecinas, que estaban presentes, dijeron:

—Señores, éste es un niño inocente, y ha pocos días que está con ese escudero, y no sabe dél más que vuestras mercedes; sino cuanto el pecadorcico se llega aquí a nuestra casa, y le damos de comer lo que podemos por amor de Dios, y a las noches se iba a dormir con él.

Vista mi inocencia, dejáronme, dándome por libre.

Y el alguacil y escribano piden al hombre y a la mujer sus derechos, sobre lo cual tuvieron gran contienda y ruido, porque ellos alegaron no ser obligados a pagar, pues no había de qué, ni se hacía el embargo. Los otros decían que habían dejado de ir a otro negocio, que les importaba más, por venir a aquél.

Finalmente, después de dadas muchas voces, al cabo carga un porquerón con el viejo alfamar de la vieja, aunque no iba muy cargado.

Allá van todos cinco dando voces. No sé en qué paró.

Creo yo que el pecador alfamar pagara por todos. Y bien se empleaba; pues, el tiempo que había de reposar y descansar de los trabajos pasados, se andaba alquilando.

Así, como he contado me dejó mi pobre tercero amo, do acabé de conocer mi ruin dicha. Pues, señalándose todo lo que podía contra mí, hacía mis negocios tan al revés, que los amos, que suelen ser dejados de los mozos, en mí no fuese así, mas que mi amo me dejase y huyese de mí.

TRATADO CUARTO

CÓMO LÁZARO SE ASENTÓ CON UN FRAILE DE LA MERCED, Y DE LO QUE LE ACAECIÓ CON ÉL

Hube de buscar el cuarto, y éste fué un fraile de la Merced, que las mujercillas que digo me encaminaron. Al cual ellas le llamaban pariente. Gran enemigo del coro y de comer en el convento, perdido por andar fuera, amicísimo de negocios seglares y visitar, tanto que pienso que rompía él más zapatos que todo el convento.

Este me dió los primeros zapatos que rompí en mi vida. Mas no me duraron ocho días, ni yo pude con su trote durar más.

Y por esto, y por otras cosillas que no digo, salí dél.

TRATADO QUINTO

CÓMO LÁZARO SE ASENTÓ CON UN BULDERO, Y DE LAS COSAS QUE CON ÉL PASÓ

En el quinto por mi ventura di, que fué un buldero, el más desenvuelto y desvergonzado, y el mayor echador de ellas que jamás yo vi, ni ver espero, ni pienso que nadie vió, porque tenía y buscaba modos y maneras y muy sutiles invenciones.

En entrando en los lugares do habían de presentar la bula, primero presentaba a los clérigos o curas algunas cosillas, no tampoco de mucho valor ni sustancia; una lechuga murciana, si era por el tiempo, un par de limas o naranjas, un melocotón, un par de duraznos, cada sendas peras verdiniales.

Así procuraba tenerlos propicios, porque favoreciesen su negocio y llamasen sus feligreses a tomar la bula.

Ofreciéndosele a él las gracias informábase de la suficiencia de ellos. Si decían que entendían, no hablaba palabra en latín, por no dar tropezón; mas aprovechábase de un gentil y bien cortado romance y desenvoltísima lengua. Y si sabía que los dichos clérigos eran de los reverendos, digo que más con dineros que con letras y con reverendas se ordenan, hacíase entre ellos un Santo Tomás, y hablaba dos horas en latín. A lo menos que lo parecía, aunque no lo era.

Cuando por bien no le tomaban las bulas, buscaba cómo por mal se las tomasen, y para aquello hacía molestias al pueblo, y otras veces, con mañosos artificios. Y porque todos los que le veía hacer sería largo de contar, diré uno muy sotil y donoso, con el cual probaré bien su suficiencia.

En un lugar de la Sagra de Toledo, había predicado dos o tres días, haciendo sus acostumbradas diligencias, y no le habían dado al diablo con aquello, y pensando qué hacer, se acordó de convidar al pueblo para otro día de mañana despedir la bula.

Y esa noche, después de cenar, pusiéronse a jugar la colación él y el alguacil, y sobre el juego vinieron a reñir y a haber malas palabras. El llamó al alguacil ladrón, y el otro a él falsario. Sobre esto el señor comisario, mi señor, tomó un lanzón, que en el portal do jugaban estaba. El alguacil puso mano a su espada que en la cinta tenía.

Al ruido y voces que todos dimos, acuden los huéspedes y vecinos, y métense en medio. Y ellos, muy enojados, procurándose desembarazar de los que en medio estaban, para se matar. Mas como la gente al gran ruido cargase y la casa estuviese llena de ella, viendo que no podían afrentarse con las armas, decíanse palabras injuriosas, entre las cuales el alguacil dijo a mi amo que era falsario, y las bulas que predicaba que eran falsas.

Finalmente, que los del pueblo, viendo que no bastaban a ponerlos en paz, acordaron de llevar al alguacil de la posada a otra parte. Y así quedó mi amo muy enojado.

Y después que los huéspedes y vecinos le hubieron rogado que perdiese el enojo y se fuese a dormir, se fué, y ansí nos echamos todos.

La mañana venida, mi amo se fué a la iglesia y mandó tañer a misa y al sermón para despedir la bula. Y el pueblo se juntó, el cual andaba murmurando de las bulas, diciendo cómo eran falsas y que el mismo alguacil, riñendo, lo había descubierto. De manera que, tras que tenían mala gana de tomarla, con aquello del todo la aborrecieron.

El señor comisario se subió al púlpito, y comienza su sermón, y a animar a la gente a que no quedasen sin tanto bien y indulgencia como la santa bula traía.

Estando en lo mejor del sermón, entra por la puerta de la iglesia el alguacil, y, desque hizo oración, levantóse y con voz alta y pausada, cuerdamente comenzó a decir:

—Buenos hombres, oídme una palabra, que después oiréis a quien quisiéredes. Yo vine aquí con este echacuervo que os predica, el cual me engañó, y dijo que le favoreciese en este negocio, y que partiríamos la ganancia. Y agora visto el daño que haría a mi conciencia y a vuestras haciendas; arrepentido de lo hecho, os declaro claramente que las bulas que predica son falsas, y

que no le creáis ni las toméis, y que yo directe ni indirecte no soy
parte en ellas, y que desde ahora dejo la vara y doy con ella en
el suelo. Y si en algún tiempo éste fuere castigado por la falsedad, que vosotros me seáis testigos cómo yo no soy con él, ni
le doy a ello ayuda; antes os desengaño y declaro su maldad.

Y acabó su razonamiento.

Algunos hombres honrados que allí estaban se quisieron levantar y echar el alguacil fuera de la iglesia, por evitar escándalo. Mas mi amo fué a la mano y mandó a todos que so pena de
excomunión no le estorbasen; mas que le dejasen decir todo lo
que quisiese.

Y ansí él también tuvo silencio mientras el alguacil dijo todo
lo que he dicho.

Como calló, mi amo le preguntó que si quería decir más que
lo dijese.

El alguacil dijo:

—Harto hay más de decir de vos y de vuestra falsedad; mas
por ahora basta.

El señor comisario se hincó de rodillas en el púlpito, y, puestas las manos y mirando al cielo, dijo así:

—Señor Dios, a quien ninguna cosa es escondida ante todas
manifiestas, y a quien nada es imposible antes todo posible: tú
sabes la verdad y cuán injustamente yo soy afrentado. En lo que
a mí toca, yo lo perdono, porque tú, Señor, me perdones. No
mires aquel que no sabe lo que hace ni dice. Mas la injuria a ti
hecha, te suplico, y por justicia te pido, no disimules; porque
alguno, que está aquí, que por ventura pensó tomar aquesta santa bula, dando crédito a las falsas palabras de aquel hombre, lo
dejará de hacer. Y pues es tanto perjuicio del prójimo, te suplico yo, Señor, no lo disimules; mas luego muestra aquí milagro y
sea desta manera. Que si es verdad lo que aquél dice y que yo
traigo maldad y falsedad, este púlpito se hunda conmigo y meta
siete estados debajo de tierra, do él ni yo jamás parezcamos. Y si
es verdad lo que yo digo, y aquél, persuadido del demonio, por
quitar y privar a los que están presentes de tan gran bien, dice
maldad, también sea castigado y de todos conocida su malicia.

Apenas había acabado su oración el devoto señor mío, cuando el negro alguacil cae de su estado, y da tan gran golpe en el
suelo, que la iglesia toda hizo resonar, y comenzó a bramar

y echar espumajos por la boca y torcerla, y hacer visajes con
el gesto, dando de pie y de mano, revolviéndose por aquel suelo
a una parte y a otra. El estruendo y voces de la gente era tan
grande, que no se oían unos a otros. Algunos estaban espantados
y temerosos.

Unos decían:

—¡El Señor le socorra y valga!

Otros:

—¡Bien se le emplea, pues levantaba tan falso testimonio!

Finalmente, algunos que allí estaban, y a mi parecer no sin
harto temor, se llegaron y le trabaron de los brazos, con los cuales daba fuertes puñadas a los que cerca dél estaban. Otros le
tiraban por las piernas y tuvieron reciamente, porque no había
mula falsa en el mundo que tan recias coces tirase.

Y así le tuvieron un gran rato, porque más de quince hombres
estaban sobre él y a todos daba las manos llenas, y si se descui-
daban en los hocicos.

A todo esto el señor mi amo estaba en el púlpito de rodillas,
las manos y los ojos puestos en el cielo, transportado en la divina
esencia, que el planto y ruido y voces, que en la iglesia había, no
eran parte para apartarle de su divina contemplación.

Aquellos buenos hombres llegaron a él y dando voces le despertaron y le suplicaron quisiese socorrer a aquel pobre, que
estaba muriendo, y que no mirase a las cosas pasadas, ni a sus
dichos malos, pues ya de ellos tenía el pago. Mas si en algo podía
aprovechar para librarle del peligro y pasión que padecía, por
amor de Dios lo hiciese, pues ellos veían clara la culpa del culpado, y la verdad y bondad suya, pues a su petición y venganza
el Señor no alargó el castigo.

El señor comisario, como quien despierta de un dulce sueño,
los miró y miró al delincuente, y a todos los que alderredor estaban, y muy pausadamente les dijo:

—Buenos hombres, vosotros nunca habíades de rogar por
un hombre en quien Dios tan señaladamente se ha señalado.
Mas pues él nos manda que no volvamos mal por mal y perdo-
nemos las injurias, con confianza podremos suplicarle que cum-
pla lo que nos manda, y Su Majestad perdone a éste que le ofen-
dió, poniendo en su santa fe obstáculos. Vamos todos a suplicarle.

Y ansí bajó del púlpito y encomendó aquí muy devotamente suplicasen a nuestro Señor tuviese por bien de perdonar a aquel pecador, y volverle en su salud y sano juicio, y lanzar dél el demonio, si Su Majestad había permitido que por su gran pecado en él entrase.

Todos se hincaron de rodillas, y delante del altar con los clérigos comenzaban a cantar con voz baja una letanía. Y viniendo él con la cruz y agua bendita, después de haber sobre él cantado, el señor mi amo, puestas las manos al cielo y los ojos, que casi nada se le parecía sino un poco de blanco, comienza una oración no menos larga que devota, con la cual hizo llorar a toda la gente como suelen hacer en los sermones de pasión, de predicador y auditorio devoto, suplicando a nuestro Señor, pues no quería la muerte del pecadoi, sino su vida y arrepentimiento, que aquel encaminado por el demonio y persuadido de la muerte y pecado, le quisiese perdonar y dar vida y salud, para que se arrepintiese y confesase sus pecados.

Y esto hecho, mandó traer la bula, y púsosela en la cabeza. Y luego el pecador del alguacil comenzó poco a poco a estar mejor y a tornar en sí, y desque fué bien vuelto en su acuerdo, echóse a los pies del señor comisario, y demandóle perdón y confesó haber dicho aquello por la boca y mandamiento del demonio, lo uno por hacer a él daño y vengarse del enojo, lo otro y más principal, porque el demonio reciba mucha pena del bien, que allí se hiciera en tomar la bula.

El señor mi amo le perdonó, y fueron hechas las amistades entre ellos. Y a tomar la bula hubo tanta prisa, que casi ánima viviente en el lugar no quedó sin ella: marido y mujer, e hijos e hijas, mozos y mozas.

Divulgóse la nueva de lo acaecido por los lugares comarcanos, y cuando a ellos llegábamos no era menester sermón ni ir a la iglesia, que a la posada la venían a tomar como si fueran peras, que se dieran de balde.

De manera que, en diez o doce lugares de aquellos alrededores donde fuimos, echó el señor mi amo otras tantas mil bulas sin predicar sermón.

Cuando él hizo el ensayo, confieso mi pecado, que también fuí de ello espantado, y creí que así era, como otros muchos. Mas con ver después la risa y burla que mi amo y el alguacil llevaban

y hacían del negocio, conocí cómo había sido industriado por
el industrioso e inventivo de mi amo.

Y aunque muchacho, cayóme mucho en gracia, y dije entre
mí:

—¡Cuántas de éstas deben hacer estos burladores entre la
inocente gente!

Finalmente, estuve con este mi quinto amo cerca de cuatro
meses, en los cuales pasé también hartas fatigas. [1]

---

[1] Añadido de la edición de Alcalá. Véase la nota de la pág. 12.
Acaesciónos en otro lugar, el cual no quiero nombrar por su
honra, lo siguiente: Y fué que mi amo predicó dos o tres sermones, y
do a Dios la bula tomaban. Visto por el astuto de mi amo lo que pasaba, y aunque decía se fiaban por un año no aprovechaba, y que estaban
tan rebeldes en tomarla y que su trabajo era perdido, hizo tocar las
campanas para despedirse, y hecho su sermón y despedido desde el púlpito, ya que se quería bajar, llamó al escribano y a mí, que iba cargado
con unas alforjas, e hízonos llegar al primer escalón, y tomó al alguacil
las que en las manos llevaba, y las que no tenía en las alforjas púsolas
junto a sus pies, tornóse a poner en el púlpito con cara alegre y arrojar
desde allí, de diez en diez y de veinte en veinte, de sus bulas hacia
todas partes, diciendo:

—Hermanos míos: tomad, tomad de las gracias que Dios os envía
hasta vuestras casas, y no os duela, pues es obra tan pía la redención
de los cautivos cristianos que están en tierra de moros. Por que no re-
nieguen nuestra santa fe y vayan a las penas del infierno, siquiera ayudad-
los con vuestra limosna y con cinco padrenuestros y cinco avemarías
para que salgan de cautiverio. Y aun también aprovechan para los padres
y hermanos y deudos que tenéis en el purgatorio, como lo veréis en esta
santa bula.

Como el pueblo las vió arrojar, como cosa que la daba de balde
y ser venida de la mano de Dios, tomaban a más tomar, aun para los
niños de la cuna y para todos sus difuntos, contando desde los hijos hasta
el menor criado que tenían, contándolos por los dedos. Vímonos en tanta
prisa, que a mí aínas me acabaron de romper un pobre y viejo sayo que
traía, de manera que certifico a vuestra merced que en poco más de una
hora no quedó bula en las alforjas, y fué necesario ir a la posada por
más.

Acabados de tomar todos, dijo mi amo desde el púlpito a su escribano y al del Concejo que se levantasen, y para que se supiese quiénes
eran los que habían de gozar de la santa bula y para que él diese buena
cuenta a quien le había enviado, se escribiesen.

Y así, luego, todos de muy buena voluntad decían las que habían
tomado, contando por orden los hijos, y criados y defuntos.

Hecho su inventario, pidió a los alcaides que por caridad, porque él tenía que hacer en otra parte, mandasen al escribano le diese autoridad del inventario y memoria de las que allí quedaban, que, según decía el escribano, eran más de dos mil.

Hecho esto, él se despidió con mucha paz y amor, y así nos partimos deste lugar. Y aun, antes de que nos partiésemos, fué preguntado él por el teniente cura del lugar y por los regidores si la bula aprovechaba para las criaturas que estaban en el vientre de sus madres.

A lo cual él respondió que, según las letras que él había estudiado, que no. Que lo fuesen a preguntar a los doctores más antiguos que él, y que esto era lo que sentía en este negocio.

Y así nos partimos, yendo todos muy alegres del buen negocio. Decía mi amo al alguacil y escribano:

—¿Qué os parece cómo a estos villanos, que con sólo decir cristianos viejos somos, sin hacer obras de caridad se piensan salvar, sin poner nada de su hacienda? Pues, por vida del licenciado Pascasio Gómez, que a su costa se saquen más de diez cautivos.

Y así nos fuímos hasta otro lugar de aquel, cabo de Toledo, hacia la Mancha, que se dice, adonde topamos otros más obstinados en tomar bulas. Hechas mi amo y los demás que íbamos nuestras diligencias, en dos fiestas que allí estuvimos no se habían echado treinta bulas.

Visto por mi amo la gran perdición y la mucha costa que traía, y el ardideza que el sotil de mi amo tuvo para hacer despender sus bulas fué que este día dijo la misa mayor, y después de acabado el sermón y vuelto al altar, tomó una cruz que traía de poco más de un palmo, y en un brasero de lumbre que encima del altar había, el cual habían traído para calentarse las manos, porque hacía gran frío, púsole detrás del misal, sin que nadie mirase en ello. Y allí, sin decir nada, puso la cruz encima de la lumbre, y, ya que hubo acabado la misa y echado la bendición, tomóla con un pañizuelo, bien envuelta la cruz en la mano derecha y en la otra la bula, y así bajó hasta la postrera grada del altar, adonde hizo que besaba la cruz. E hizo señal que viniesen adorar la cruz. Y así vinieron los alcaldes los primeros y los más ancianos del lugar, viniendo uno a uno, como se usa.

Y el primero que llegó, que era un alcalde viejo, aunque él dió a besar la cruz bien delicadamente, se abrasó los rostros y se quitó presto a afuera. Lo cual visto por mi amo le dijo:

—¡Paso, quedo, señor alcalde! ¡Milagro!

Y así hicieron otros siete u ocho. Y a todos les decía:

—¡Paso, señores! ¡Milagro!

Cuando él vió que los rostriquemados bastaban para testigos del milagro, no la quiso dar más a besar. Subióse al pie del altar y de allí decía cosas maravillosas, diciendo que por la poca caridad que había en ellos había Dios permitido aquel milagro, y que aquella cruz había de ser llevada a la santa iglesia mayor de su obispado, que por la poca caridad que en el pueblo había, la cruz ardía.

Fué tanta la prisa que hubo en el tomar de la bula, que no bastaban dos escribanos ni los clérigos ni sacristanes a escribir. Creo de cierto que se tomaron más de tres mil bulas, como tengo dicho a vuestra merced.

Después, al partir él, fué con gran reverencia, como es razón, a tomar la santa cruz, diciendo que la había de hacer engastonar en oro, como era razón.

Fué rogado mucho del Concejo y clérigos del lugar les dejase allí aquella santa cruz, por memoria del milagro allí acaescido. El en ninguna manera lo quería hacer, y al fin, rogado de tantos, se la dejó. Conque le dieron otra cruz vieja que tenían, antigua, de plata, que podrá pesar dos o tres libras, según decían.

Y así nos partimos alegres, con el buen trueque y con haber negociado bien. En todo no vió nadie lo susodicho, sino yo. Porque me subí a par del altar para ver si había quedado algo en las ampollas, para ponerlo en cobro, como otras veces yo lo tenía de costumbre. Y como allí me vió, púsose el dedo en la boca haciéndome señal que callase. Yo así lo hice, porque me cumplía, aunque después que vi el milagro no cabía en mí por echallo fuera. Sino que el temor de mi astuto amo no me lo dejaba comunicar con nadie, ni nunca de mí salió. Porque me tomó juramento que no descubriese el milagro, y así lo hice hasta agora.

TRATADO SEXTO

CÓMO LÁZARO SE ASENTÓ CON UN CAPELLÁN, Y LO QUE CON ÉL PASÓ

Después de esto, asenté con un maestro de pintar panderos, para molerle los colores.

Y también sufrí mil males.

Siendo ya en este tiempo mozuelo, entrando un día en la iglesia mayor, un capellán de ella me recibió por suyo, y púsome en poder buen asno y cuatro cántaros y un azote, y comencé a echar agua por la ciudad.

Este fué el primer escalón, que yo subí para venir a alcanzar buena vida, porque mi boca era medida.

Daba cada día a mi amo treinta maravedís ganados y los sábados ganaba para mí y todo lo demás de entre semana, de treinta maravedís.

Fuéme tan bien en el oficio, que al cabo de cuatro años que lo usé, con poner en la ganancia buen recaudo, ahorré para me vestir muy honradamente de la ropa vieja. De la cual, compré un jubón de fustán viejo y un sayo raído de manga trenzada y puerta, y una capa que había sido frisada, y una espada de las viejas primeras de Cuéllar.

Desque me vi en hábito de hombre de bien, dije a mi amo se tomase su asno, que no quería más seguir aquel oficio.

TRATADO SEPTIMO

CÓMO LÁZARO SE ASENTÓ CON UN ALGUACIL, Y LO QUE LE ACAECIÓ CON ÉL

Despedido del capellán, asenté por hombre de justicia con un alguacil. Mas muy poco viví con él, por parecerme oficio peligroso, mayormente, que una noche nos corrieron a mí y a mi amo, a pedradas y a palos unos retraídos, y a mi amo, que esperó, trataron mal; mas a mí no me alcanzaron. Con esto renegué del trato.

Y pensando en qué modo de vivir haría mi asiento, por tener descanso y ganar algo para la vejez, quiso Dios alumbrarme y ponerme en camino y manera provechosa. Y con favor que tuve de amigos y señores, todos mis trabajos y fatigas hasta entonces pasados fueron pagados con alcanzar lo que procuré, que fué un oficio real, viendo que no hay nadie que medre, sino los que le tienen.

En el cual, el día de hoy, yo vivo y resido al servicio de Dios y de vuestra merced. Y es que tengo cargo de pregonar los vinos que en esta ciudad se venden, y en almonedas y cosas perdidas, acompañar los que padecen persecuciones por justicia, y declarar a voces sus delitos: pregonero, hablando en buen romance.[1]

Hame sucedido también, yo le he usado tan fácilmente, que casi todas las cosas al oficio tocantes pasan por mi mano. Tanto, que en toda la ciudad, el que ha de echar vino a vender o algo,

---

[1] Intercalación de la ed. de Alcalá.
En el cual oficio un día, que ahorcábamos un apañador en Toledo y llevaba una buena soga de esparto, conocí y caí en la cuenta de la sentencia que aquel mi ciego amo había dicho en Escalona y me arrepentí del mal pago, que le dí, por lo mucho que me enseñó. Que, después de Dios, él me dio industria para llegar al estado que agora estó.

si Lázaro de Tormes no entiende en ello, hacen cuenta de no sacar provecho.

En este tiempo, viendo mi habilidad y buen vivir, teniendo noticia de mi persona el señor arcipreste de San Salvador, mi señor y servidor y amigo de vuestra merced, porque le pregonaba sus vinos, procuró casarme con una criada suya. Y visto por mí que de tal persona no podía venir sino bien y favor, acordé de lo hacer. Y así me casé con ella; y hasta ahora no estoy arrepentido porque, allende de ser buena hija y diligente, servicial, tengo en mi señor arcipreste todo favor y ayuda. Y siempre en el año le da en veces al pie de una carga de trigo, por las pascuas, su carne, y cuando el par de los bodigos, las calzas viejas que deja. E hízonos alquilar una casilla par de la suya. Los domingos y fiestas casi todas las comíamos en su casa.

Mas malas lenguas, que nunca faltaron ni faltarán, no nos dejan vivir, diciendo no sé que, y sí sé qué, porque ven a mi mujer irle a hacer la cama y guisarle de comer, y mejor les ayude Dios que ellos dicen la verdad.[1] Porque allende no ser ella mujer, que se pague de estas burlas, mi señor me ha prometido lo que pienso cumplirá. Que él me habló un día muy largo delante de ella, y me dijo:

—Lázaro de Tormes, quien ha de mirar a dichos de malas lenguas, nunca medrará. Digo esto, porque no me maravillaría, alguno murmurase, viendo entrar en mi casa a tu mujer y salir de ella. Ella entra muy a tu honra y suya. Y esto te lo prometo. Por tanto, no mires a lo que pueden decir, sino a lo que te toca. Digo a tu provecho.

—Señor —le dije—, yo determiné de arrimarme a los buenos. Verdad es que algunos de mis amigos me han dicho algo de eso, y aun por más de tres veces me han certificado, que antes que conmigo casase había parido tres veces, hablando con reverencia de vuestra merced, porque está ella delante.

Entonces mi mujer echó juramentos sobre sí, que yo pensé

---

1 Intercalación de la ed. de Alcalá.

Aunque en este tiempo siempre he tenido algún sospechuela y habido algunas malas cenas por esperarla algunas noches hasta laudes y aún más y se me ha venido a la memoria lo que mi amo el ciego me dijo en Escalona, estando asido del cuerno. Aunque de verdad siempre pienso que el Diablo me lo trae a la memoria por hacerme mal casado y no le aprovecha.

la casa se hundiera con nosotros. Y despúes tomóse a llorar y a echar mil maldiciones sobre quien conmigo la había casado. En tal manera, que quisiera ser muerto antes que se me hubiera soltado aquella palabra de la boca. Mas yo de un cabo y mi señor de otro, tanto le dijimos y otorgamos, que cesó su llanto, con juramento que le hice de nunca más en mi vida mentarle nada de aquello, y que yo holgaba y había por bien de que ella entrase y saliese de noche y de día, pues estaba bien seguro de su bondad.

Y así quedamos todos tres bien conformes.

Hasta el día de hoy nunca nadie nos oyó sobre el caso; antes cuando alguno siento que me quiere decir algo de ella, le atajo y le digo:

—Mirad, si sois mi amigo, no me digáis cosa con que me pese, que no tengo por mi amigo al que me hace pesar. Mayormente si me quieren meter mal con mi mujer, que es la cosa del mundo que yo más quiero, y la amo más que a mí, y me hace Dios con ella mil mercedes, y más bien que yo merezco. Que yo juraré sobre la hostia consagrada que es tan buena mujer como vive dentro de las puertas de Toledo, y quien otra cosa me dijere, yo me mataré con él.

Desta manera no me dicen nada, y yo tengo paz en mi casa.

Esto fué el mismo año que nuestro victorioso Emperador en esta insigne ciudad de Toledo entró y tuvo en ella Cortes, y se hicieron grandes regocijos, como vuestra merced habrá oído.

Pues, en este tiempo, estaba en mi prosperidad, y en la cumbre de toda buena fortuna.

FIN DE
"LA VIDA DE LAZARILLO DE TORMES"

VIDA DEL BUSCON
DON PABLOS

APROBACIÓN

Agradecido al mandamiento del señor don Juan de Salinas, Vicario general de este arzobispado de Zaragoza, que me obligó a ver libro tan sazonado como su autor, juzgo que se le debe la estampa por la propiedad de las cosas, por la elegancia de las palabras, por la enseñanza de las costumbres, sin ofensa alguna de la religión. En Santa Engracia de Zaragoza, a veintinueve de abril, año de mil seiscientos veinte y seis.

ESTEBAN DE PERALTA.

LICENCIA DEL ORDINARIO

El doctor Juan de Salinas, colegial del colegio de San Bartolomé de Salamanca, y en lo espiritual y temporal Vicario general de la ciudad y arzobispado de Zaragoza, por el ilustrísimo y reverendísimo señor don fray Juan de Peralta, por la gracia de Dios y de la Santa Sede Apostólica, arzobispo de dicho arzobispado, del consejo de su majestad, etc., Damos licencia a Roberto Duport, librero, para que pueda hacer imprimir un libro intitulado HISTORIA DE LA VIDA DEL BUSCÓN LLAMADO DON PABLOS, compuesto por don Francisco de Quevedo, por cuanto nos consta no haber en él cosa en que contravenga a nuestra fe católica y buenas costumbres y mandamos se ponga esta nuestra licencia al principio de cada libro. *Dat.* en Zaragoza a dos de mayo del año mil seiscientos veinte y seis.

EL DOCTOR DON JUAN DE SALINAS,
Vicario general

Por mandado de dicho señor Vicario general, ANTONIO ZAPORTA, *Notario.*

APROBACIÓN

He visto y leído este libro y me parece se puede dar licencia
para imprimirlo. En Zaragoza, a trece de mayo de mil seiscientos
veinte y seis.

EL DOCTOR CALISTO REMÍREZ.

Don Felipe, por la Gracia de Dios, Rey de Castilla, de Aragón, de las dos Sicilias, de Jerusalén, etc.

Don Juan Fernández de Heredia, caballero mesnadero, gentil hombre de la boca de su majestad, de su Consejo, y regente el oficio de la general gobernación en este reino de Aragón y presidente en la real audiencia de aquél: Por cuanto por parte de Roberto Duport, librero, domiciliado en la ciudad de Zaragoza, se nos ha suplicado fuésemos servidos dar licencia y facultad para imprimir y vender y hacer imprimir y vender en el presente reino de Aragón un libro intitulado Historia de la Vida del Buscón llamado don Pablos, ejemplo de vagamundos y espejo de tacaños; y porque habemos mandado ver y reconocer primero, se ha hallado que no tiene cosa contra nuestra santa fe católica; el cual es compuesto por don Francisco de Quevedo Villegas, caballero del Orden de Santiago. Por tanto, por tenor de las presentes, de nuestra cierta ciencia y por la real autoridad que usamos en esta parte, damos licencia y facultad al dicho Ruperto Duport, o a quien su poder tuviere, para que por el tiempo de diez años, contaderos del día de la data de las presentes en adelante, pueda imprimir y vender, y hacer imprimir y vender el susodicho libro y todos los cuerpos que dél quisiere. Prohibiendo y mandando que ninguna otra persona le pueda imprimir ni vender ni hacer imprimir ni vender dentro de los dichos diez años, so pena de perdimiento de los libros y moldes y otras penas a nos arbitrarias. Con esto, que en todos los volúmenes y cuerpos que imprimiere sea tenido poner impresa la presente nuestra licencia, mandando por tenor della a cualesquier jueces y oficiales mayores y menores y otros cualesquiera ministros, vasallos y súbditos de su majestad en el presente reino de Aragón, que so incurrimiento de su ira e indignación y en pena de mil florines de oro de Aragón, de bienes de los contravinientes exigideros, y à los reales cofres aplicaderos, que la presente licencia y todo lo en ella contenido guarden, tengan y observen, tengan y guardar hagan inviolablemente, ni hacer ni permitir ser hecho lo contrario, si la gracia de su majestad les es cara, y en la dicha pena desean no incurrir. *Dat. in civitate Calatajubii, die vigesimo sexto, mensis Madii, anno Domini Nostri Jesu Christi millesimo sexcentesimo vigesimo sexto.*

DON JUAN FERNÁNDEZ DE HEREDIA,
Gobernador de Aragón

V. MENDOZA, Asesor.

Dominus R. offi. G. G. Arag. mandat. mihi Gaspari Jacinto de Robres & Lasilla, visa per Mendoza asesor.
In diversorum IX, fol. CLIII.

A DON FRAY JUAN AGUSTÍN DE FUNES, CABALLERO DE LA SAGRA-
DA RELIGIÓN DE SAN JUAN BAUTISTA DE JERUSALÉN, EN LA
CASTELLANÍA DE AMPOSTA DEL REINO DE ARAGÓN.

Hallándome lleno de obligaciones al favor que siempre he
recibido de vuesa merced, y siendo mi caudal limitado para pa-
garlas, me ha parecido, en señal de agradecimiento, dedicarle
este libro, émulo de *Guzmán de Alfarache* —y aun no sé si diga
mayor— y tan agudo y gracioso como *Don Quijote*, aplauso general de todas las naciones. Y aunque vuesa merced merecía
mayores asuntos por su generosa sangre, ingenio lucido, pues la
Crónica de la Religión de San Juan es hijo suyo —a quien podemos decirle sin miedo: *qualis pater talis filius*—, porque tal
vez suele divertirse más el cuerdo con los descuidos maliciosos
de Marcial que con las sentencias de Séneca, le pongo en sus
manos para que se recree con sus agudezas. Su autor dél, es tan
conocido, que lleva ganados de antemano deseos de verle; y cuando no lo fuera, con su protección de vuesa merced perdiera los
recelos de atreverse en público; y yo quedaré ufano, consiguien-
do el general gusto que con él han de tener todos.

Humilde criado de vuesa merced,
ROBERTO DUPONT

AL LECTOR

Qué deseoso te considero, lector o oidor —que los ciegos no pueden leer—, de registrar lo gracioso de don Pablos, príncipe de la vida buscona.

Aquí hallarás en todo género de picardía —de que pienso que los más gustan— sutilezas, engaños, invenciones y modos, nacidos del ocio, para vivir a la droga, y no poco fruto podrás sacar dél si tienes atención al escarmiento; y, cuando no lo hagas, aprovéchate de los sermones, que dudo nadie compre libro de burlas para apartarse de los incentivos de su natural depravado. Sea empero lo que quisieres; dale aplauso, que bien lo merece; y cuando te rías de sus chistes, alaba el ingenio de quien sabe conocer que tiene más deleite saber vidas de pícaros, descritas con gallardía, que otras invenciones de mayor ponderación.

Su autor, ya le sabes; el precio del libro, no lo ignoras, pues ya le tienes en tu casa, si no es que en la del librero le hojeas, cosa pesada para él, y que se había de quitar con mucho rigor, que hay gorrones de libros como de almuerzos, y hombre que saca cuento leyendo a pedazos en diversas veces, y luego le zurce; y es gran lástima que tal se haga, porque éste mormura sin costarle dineros, poltronería bastarda y miseria no hallada del Caballero de la Tenaza. Dios te guarde de mal libro, de alguaciles y de mujer rubia, pedigüeña y carirredonda.

A DON FRANCISCO DE QUEVEDO

LUCIANO, SU AMIGO

Don Francisco, en igual peso
veras y burlas tratáis;
acertado aconsejáis,
y a don Pablo hacéis travieso;
con la tenaza, confieso
que será buscón de traza;
el llevarla no embaraza
para su conservación;
que será espurio buscón
si anduviera sin tenaza.

CAPÍTULO I

Yo soy, señor, natural de Segovia. Mi padre se llamó Clemente Pablo (Dios le tenga en el cielo). Fué el tal como todos dicen; su oficio fué de barbero; aunque eran tan altos sus pensamientos, que se corría que le llamasen así, diciendo que él era tundidor de mejillas y sastre de barbas. Dicen que era de muy buena cepa; y, según él bebió, puédese muy bien creer.

Estuvo casado con Aldonza de San Pedro, hija de Diego de San Juan y nieta de Andrés de San Cristóbal. Sospechábase en el pueblo que no era cristiana vieja, aunque ella, por los nombres y sobrenombres de sus pasados, quiso probar que era descendiente de la letanía. Tuvo muy buen parecer, y fué tan celebrada, que en el tiempo que ella vivió, casi todos los copleros de España hacían cosas sobre ella. Padeció grandes trabajos recién casada, y aun después, porque malas lenguas daban en decir que mi padre metía el dos de bastos para sacar el dos de oros. Probósele que a todos los que hacía la barba a navaja, mientras les daba con·el agua, levantándoles las caras para el lavatorio, un mi hermanico de siete años les sacaba, muy a su salvo, los tuétanos de las faltriqueras. Murió el angelito de unos azotes que le dieron dentro de la cárcel. Sintiólo mucho mi padre (buen siglo haya), por ser tal, que robaba a todos las voluntades.

Por estas y otras niñerías estuvo preso; aunque, según a mí me han dicho después, salió de la cárcel con tanta honra, que le acompañaron doscientos cardenales, sino que a ninguno llamaban eminencia. Las damas diz que salían por verle a las ventanas, que siempre pareció mi padre muy bien a pie y caballo. No lo digo por vanagloria, que bien saben todos cuán ajeno soy della.

Mi madre, pues, no tuvo calamidades. Un día alabándomela
una vieja que me crió, decía que era tal su agrado, que hechi-
zaba a cuantos la trataban; sólo diz que se dijo no sé qué de un
cabrón y volar, lo cual la puso cerca de que la diesen plumas
con que lo hiciese en público. Hubo fama de que reedificaba
doncellas, resucitaba cabellos y encubría canas. Unos la llamaban zurcidora de gustos; otros, algebrista de voluntades descon-
certadas, y por mal nombre la llamaban alcahueta; para unos era
tercera y prima para todos, y flux para los dineros de todos. Ver,
pues, con la boca de risa que ella oía esto de todos, era para
dar mil gracias a Dios. No me detendré en decir la penitencia
que hacía. Tenía un aposento, donde sola ella entraba —y alguna vez yo, que, como era chiquito, podía—, todo rodeado
de calaveras, que ella decía que eran para memorias de la muerte, o para voluntades de la vida. Su cama estaba armada sobre
sogas de ahorcados, y decíame a mí: "¿Qué piensas? Estas tengo
por reliquias, porque los más de éstos se salvan".

Hubo grandes diferencias entre mis padres sobre a quién había de imitar en el oficio; mas yo, que siempre tuve pensamientos de caballero desde chiquito, nunca me apliqué a uno ni a
otro. Decíame mi padre: "Hijo, esto de ser ladrón no es arte
mecánica, sino liberal"; y de allí a un rato, habiendo suspirado,
decía de manos: "El que no hurta en el mundo, no vive. ¿Por
qué piensas que los alguaciles y jueces nos aborrecen tanto?
Unas veces nos destierran, otras nos azotan, otras nos cuelgan,
aunque no haya llegado el día de nuestro santo. No lo puedo
decir sin lágrimas" —lloraba como un niño el buen viejo, acor-
dándose de las veces que le habían bataneado las espaldas—:
"porque no querrían ellos que adonde están hubiese otros ladrones sino ellos y sus ministros. De todo nos libra la buena astucia.
En mi mocedad siempre andaba por las iglesias: y no de puro
buen cristiano. Muchas veces me hubieran llevado en el asno,
si hubiera cantado en el potro. Nunca confesé sino cuando lo
mandaba la Santa Madre Iglesia; y así, con esto y mi oficio,
he sustentado a tu madre lo más honradamente que he podido"
"Cómo, ¿a mí sustentado?", dijo ella con gran cólera, que le
pesaba de que yo no me aplicase a brujo—; "yo os he sustentado
a vos, y sacádoos de las cárceles con industria, y mantenido en
ellas con dinero. Si no confesábades, ¿era por vuestro ánimo o

por las bebidas que yo os daba? Gracias a mis botes. Y si no te-
miera que me habían de oír en la calle, yo dijera lo de cuando
entré por la chimenea y os saqué por el tejado".

Más dijera, según se había encolerizado, si con los golpes que
daba no se le desensartara un rosario de muelas de difuntos que
tenía. Metilos yo en paz, diciendo que quería aprender virtud,
resueltamente, y ir con mis buenos pensamientos adelante; y así,
que me pusiese en la escuela, pues sin leer ni escribir no se podía hacer nada. Parecióles bien lo que yo decía, aunque lo gru-
ñeron un rato entre los dos. Mi madre tornó a ocuparse en en-
sartar las muelas, y mi padre se tornó a ir fuera, no sé si a ocuparse en barba o en bolsa. Yo me quedé solo, dando gracias a
Dios porque me hizo hijo de padres tan hábiles y celosos de
mi bien.

CAPÍTULO II

DE CÓMO FUÍ A LA ESCUELA Y LO QUE EN ELLA ME SUCEDIÓ

A otro día ya estaba comprada cartilla y hablado al maestro. Fuí a la escuela; recibióme muy alegre; díjome que tenía cara de hombre agudo y buen entendimiento. Yo con esto, por no desmentirle, di muy bien la lección aquella mañana. Sentábame el maestro junto a sí; ganaba la palmatoria los más días por venir antes, y íbame el postrero por hacer algunos recados de "Señora", que así llamábamos la mujer del maestro. Teníalos a todos con semejantes caricias obligados. Favorecíanme demasiado, y con esto creció la envidia de los demás niños. Llegábame a los hijos de los caballeros y personas principales, y particularmente a un hijo de don Alonso Coronel de Zúñiga, con el cual juntaba las meriendas. Ibame a su casa a jugar las fiestas, y acompañábale cada día. Pero los otros, porque no les hablaba, o porque les parecía demasiado punto el mío, siempre andaban poniéndome nombres tocantes al oficio de mi padre. Unos me llamaban don Navaja, otros don Ventosa; cuál decía, por disculpar la envidia, que me quería mal porque mi madre le había chupado dos hermanitas pequeñas, de noche; otro decía que a mi padre le había llevado a su casa para la limpieza de los ratones, por llamarle gato; unos me decían cuando pasaba *zape;* otros, *miz;* cuál decía: "Yo le tiré dos berengenas a su madre cuando fué obispa". Al fin, con todo cuanto andaban royéndome los zancajos, nunca me faltaron, gloria a Dios. Y aunque yo me corría, disimulábalo.

Todo lo sufría, hasta que un día un muchacho se atrevió a decirme a voces hijo de una puta hechicera; lo cual, como me lo dijo tan claro —que aún si lo dijera turbio no me pesara—, agarré una piedra y descalabréle. Fuíme a mi madre corriendo,

que me escondiese, y contéle todo el caso, a lo cual sólo me dijo:
"Muy bien hiciste; bien muestras quién eres; sólo anduviste erra-
do en no preguntarle quién se lo dijo". Cuando yo oí esto, como
siempre tuve altos pensamientos, volvíme a ella, y dije: "¡Ah
madre!, pésame sólo de que ha sido más misa que pendencia
la mía". Preguntóme que por qué, y díjela que porque había
tenido los evangelios. Roguéla que me declarase si le podía des-
mentir con verdad, o me declarase si me había concebido a es-
cote entre muchos, o si era hijo de mi padre sólo. Rióse y dijo:
"¡Ah, noramaza! ¿Eso sabes decir? No serás bobo; gracia tienes; muy bien hiciste en quebrarle la cabeza; que esas cosas, aunque sean verdad, no se han de decir". Yo, con esto, quedé como
muerto, determinado de coger lo que pudiese en breves días, y
salirme de casa de mi padre: tanto pudo conmigo la vergüenza. Disimulé; curó mi padre al muchacho; apaciguólo todo; vol-
vióme a la escuela, donde el maestro me recibió con ira, hasta
que sabiendo la causa de la pendencia, se le aplacó el enojo,
considerando la razón que había tenido.

En todo esto, siempre me visitaba aquel hijo de don Alonso
Coronel de Zúñiga, que se llamaba don Diego; queríame naturalmente, porque trocaba con él los peones, si eran mejores los
míos; dábale de lo que almorzaba, y no le pedía de lo que él
comía; comprábale estampas, enseñábale a luchar, jugaba con
él al toro y entreteníale siempre. Así que, los más días, sus
padres del caballerito, viendo cuánto le regocijaba mi compañía,
rogaban a los míos que me dejasen con él a comer y a cenar, y
aun a dormir los más días.

Sucedió, pues, uno de los primeros que hubo escuela por Na-
vidad, que viniendo por la calle un hombre, que se llamaba
Poncio de Aguirre, el cual tenía fama de confeso, que el don
Dieguito me dijo: "Hola, llámale Poncio Pilato, y echa a correr"
Yo, por darle gusto, llaméle Poncio Pilato. Corrióse y dió a
correr tras mí con un cuchillo desnudo, para matarme; de manera que me fué forzoso meterme huyendo en la casa de mi
maestro, dando gritos. Entró el hombre tras mí, y el maestro
defendióme de que no me matase, asegurándole de castigarme.
Aunque señora le rogó por mí, movida de lo que yo la servía,
no aprovechó; mandóme desatacar, y azotándome, decía tras cada azote: "¿Diréis más Poncio Pilato?" Yo respondía: "No,

señor". Respondílo veinte veces a otros tantos azotes que me
dió. Quedé tan escarmentado de decir Poncio Pilato, y con tal
miedo que, mandándome el día siguiente decir, como solía, las
oraciones a los otros muchachos, llegando al Credo —advierta
vuesa merced la inocente malicia—, al tiempo de decir: "Padeció so el poder de Poncio Pilato", acordándome que no había
de decir más Pilato, dije: "So el poder de Poncio de Aguirre".
Dióle al maestro tan gran risa de oír mi simplicidad y de ver el
miedo que le había tenido, que me abrazó y dió una firma en
que me perdonaba de azotes las dos primeras veces que lo me-
reciese. Con esto fuí yo muy contento.

Llegó —por no enfadar— el tiempo de las Carnestolendas,
y trazando el maestro de que se holgasen sus muchachos, ordenó que hubiese rey de gallos. Echamos suertes entre doce señalados por él; cúpome a mí. Avisé a mis padres que me buscasen
galas. Llegó el día, y salí en un caballo ético y mustio, el cual,
más de manco que de bien criado, iba haciendo reverencias;
las ancas eran de mona, muy sin cola; el pescuezo, más largo
que de camello; tuerto de un ojo, ciego del otro; en cuanto a la
edad, no le faltaba para cerrar sino los ojos; al fin, él más parecía caballete de tejado que caballo; pues a tener una guadaña,
pareciera la muerte de los rocines; demostraba abstinencia en
su aspecto, y echábansele de ver los ayunos y penitencias; y sin
duda ninguna, no había llegado a su noticia la cebada ni la
paja; y lo que más le hacía digno de risa eran las muchas calvas
que tenía en el pellejo; pues a tener una cerradura, pareciera un
cofre vivo. Yendo pues dando vuelcos a un lado y a otro como
fariseo en paso, y los demás niños todos muy galanes tras mí
(que con suma majestad iba a la jineta en el dicho pasadizo con
pies), pasamos por la plaza (aun de contarlo tengo miedo); llegando cerca de las mesas de las verduleras (Dios nos libre),
agarró mi caballo un repollo a una, y ni fué visto ni oído cuando le despachó a las tripas, a las cuales, como iba rodando por
el gaznate, no llegó en mucho tiempo. La bercera, que siempre
son desvergonzadas, empezó a dar voces. Llegáronse otras, y
con ellas mil pícaros, y alzando zanahorias garrafales y nabos
frisones, berengenas y otras legumbres, empiezan a dar tras el
pobre rey. Yo, viendo que era batalla nabal, y que no se había
de hacer a caballo, comencé a apearme; mas tal golpe me le

dieron en la cara, que yendo a empinarse, cayó conmigo en una
—hablando con perdón— privada; púseme cual vuesa merced
imaginará. Ya mis compañeros se habían armado de piedras, y
daban tras las revendederas: descalabraron dos. Yo, en todo
esto, después que caí en la privada, era la persona más necesaria de la riña. Vino la justicia, comenzó a hacer información;
prendió a berceras y muchachos, mirando a todos qué armas
tenían y quitándoselas, porque habían sacado algunos dagas de
las que tenían por gala, y otros espadas. Llegó a mí, y viendo
que no tenía ningunas, porque me las había quitado y metídolas
en una casa, todavía me pidió las armas; yo le respondí, que si
no eran ofensivas contra las narices, que yo no tenía otras. Y de
paso quiero confesar a vuesa merced que cuando me empezaron
a tirar las berengenas y nabos, que, como yo llevaba plumas en
el sombrero, entendí que me habían tenido por mi madre, y que
la tiraban, como habían hecho otras veces; y así, como necio y
muchacho, dije: "Hermanas, aunque llevo plumas, no soy Aldonza de San Pedro, mi madre", como si ellas no lo echaran
de ver por el traje y el rostro. El miedo me disculpa la ignorancia, y el sucederme la desgracia tan de repente. Pero volviendo
al alguacil, quiso llevarme a la cárcel; y no me llevó, porque no
hallaba de dónde asirme: tal me había puesto de lodo. Unos se
fueron por una parte y otros por otra, y yo me vine a mi casa
desde la plaza, martirizando cuantas narices topaba en el camino. Entré en ella, conté a mis padres el suceso; corriéronse tanto
de verme de la manera que venía, que me quisieron maltratar.
Yo echaba la culpa a las dos leguas de rocín esprimido. Procuraba satisfacerlos, y viendo que no bastaba, salíme de su casa
y fuíme a saber de mi amigo don Diego, al cual hallé en la suya
descalabrado, y a sus padres resueltos por ello de no le enviar
más a la escuela; y allí tuve nuevas de cómo mi rocín, viéndose
en aprieto, se esforzó a tirar dos coces, y de puro flaco se le
desgajaron las ancas, y se quedó en el lodo bien cerca de acabar.

Viéndome, pues, con una fiesta revuelta, un pueblo escan-
dalizado, los padres corridos, mi amigo descalabrado y el caballo muerto, determinéme de no volver más a la escuela ni a casa
de mis padres, sino de quedarme a servir a don Diego, o por
mejor decir, en su compañía, y cierto con gran gusto de sus padres, por el que daba mi amistad al niño. Escribí a mi casa que

yo no había menester más ir a la escuela, porque, aunque no sabía bien escribir, para mi intento de ser caballero lo que primero se requería era escribir mal; y que así, yo renunciaba la escuela por no darles gasto, y su casa por ahorrarles pesadumbre. Avisé de dónde y cómo quedaba, y que hasta que me diesen licencia no los vería.

CAPÍTULO III

Determinó, pues, don Alonso de poner a su hijo en un pupilaje: lo uno por apartarle de su regalo, y lo otro por ahorrar de cuidado. Supo que había en Segovia un licenciado Cabra, que tenía por oficio criar hijos de caballeros, y envió allá el suyo, y a mí para que le acompañase y sirviese. Entramos en el primer domingo después de Cuaresma en poder de la hambre viva, porque tal lacería no admite encarecimiento. Él era un clérigo cerbatana, largo sólo en el talle; una cabeza pequeña, pelo bermejo (no hay más que decir); los ojos avecindados en el cogote, que parece miraba por cuévanos; tan hundidos y escuros, que era buen sitio el suyo para tienda de mercaderes; la nariz, entre Roma y Francia, porque se le había comido de unas bubas de resfriado, que aun no fueron de vicio, porque cuestan dinero; las barbas descoloridas de miedo de la boca vecina, que, de pura hambre, parece que amenaza a comérselas; los dientes, le faltaban no sé cuántos, y pienso que por holgazanes y vagabundos se los habían desterrado; el gaznate, largo como de avestruz; una nuez tan salida, que parece que, forzada de la necesidad, se le iba a buscar de comer; los brazos secos; las manos, como un manojo de sarmientos cada una. Mirado de medio abajo, parecía tenedor o compás; las piernas, largas y flacas; el andar, muy espacioso; si se descomponía algo, le sonaban los huesos como tablillas de San Lázaro; la habla, ética; la barba, grande, por nunca se la cortar (por no gastar); y él decía que era tanto el asco que le daba ver las manos del barbero por su cara, que antes se dejaría matar que tal permitiese; cortábale los cabellos un muchacho de nosotros. Traía un bonete los días de sol, ratonado con mil gateras, y guarniciones de grasa. La sotana era mila-

grosa, porque no se sabía de qué color era. Unos, viéndola tan
sin pelo, la tenían por de cuero de rana; otros decían que era
ilusión; desde cerca parecía negra, y desde lejos entre azul; traíala
sin ciñidor. No traía cuellos ni puños; parecía, con los cabellos
largos y la sotana mísera, lacayuelo de la muerte. Cada zapato
podía ser tumba de un filisteo. ¿Pues su aposento? Aun arañas
no había en él; conjuraba los ratones, de miedo de que no le
royesen algunos mendrugos que guardaba; la cama tenía en el
suelo; dormía siempre de un lado, por no gastar las sábanas. Al
fin, él era archipobre y protomiseria.

A poder, pues, déste vine, y en su poder estuve con don Diego; la noche que llegamos nos señaló nuestro aposento, y nos
hizo una plática corta, que, aun por no gastar tiempo, no duró
más. Díjonos lo que habíamos de hacer; estuvimos ocupados
en esto hasta la hora del comer. Fuimos allá; comían los amos
primero, y servíamos los criados. El refitorio era un aposento como un medio celemín; sentábanse a una mesa hasta cinco caballeros. Yo miré primero por los gatos; y como no los vi, pregunté que cómo no los había a otro criado antiguo, el cual, de flaco,
estaba ya con la marca del pupilaje. Comenzó a enternecerse, y
dijo: "¿Cómo gatos? ¿Quién os ha dicho a vos que los gatos
son amigos de ayunos y penitencias? En lo gordo se os echa de
ver que sois nuevo". Yo, con esto, comencéme a afligir; y más
me afligí cuando advertí que todos los que vivían en el pupilaje de antes estaban como leznas, con unas caras que parecía se
afeitaban con diaquilón. Sentóse el licenciado Cabra; echó la
bendición; comieron una comida eterna, sin principio ni fin; trajeron caldo en unas escudillas de madera, tan claro, que en comer en una de ellas peligrara Narciso más que en la fuente. Noté
la ansia con que los macilentos dedos se echaron a nado tras un
garbanzo huérfano y solo que estaba en el suelo. Decía Cabra
a cada sorbo: "Cierto que no hay cosa como la olla, digan lo
que dijeren; todo lo demás es vicio y gula". Y acabando de decirlo, echóse su escudilla a pechos, diciendo: "Todo esto es salud
y otro tanto ingenio". "¡Mal ingenio te acabe!", decía yo entre
mí, cuando veo un mozo medio espíritu, tan flaco, con un plato
de carne en las manos, que parecía la había quitado de sí mismo.
Venía un nabo aventurero a vuelta; dijo el maestro: "¿Nabos
hay? No hay perdiz para mí que se le iguale; coman, que me

huelgo de verlos comer". Repartió a cada uno tan poco carnero, que entre lo que se les pegó a las uñas y se les quedó entre los dientes, pienso que se les consumió todo, dejando descomulgadas las tripas de participantes. Cabra los miraba, y decía: "Coman, que mozos son, y me huelgo de ver sus buenas ganas". Mire vuesa merced qué aliño para los que bostezaban de hambre.

Acabaron todos, y quedaron unos mendrugos en la mesa, y en el plato dos pellejos y unos huesos, y dijo el pupilero: "Quede esto para los criados, que también han de comer, no lo queramos todo." "¡Mal te haga Dios y lo que has comido, lacerado", decía yo, "que tal amenaza has hecho a mis tripas!" Echó la bendición, y dijo: "Ea, demos lugar a los criados, y váyanse hasta las dos a hacer un poco de ejercicio, porque no les haga mal lo que han comido." Entonces yo no pude tener la risa abriendo toda la boca. Enojóse mucho, y díjome que aprendiese modestia, y tres o cuatro sentencias viejas; y fuese.

Sentámonos nosotros. Yo, que vi el negocio mal parado, y que mis tripas pedían justicia, como más sano y más fuerte que los otros, arremetí al plato, como arremetieron todos, y emboquéme de tres mendrugos, los dos y el un pellejo. Comenzaron los otros a gritar; al ruido entró Cabra diciendo: "Coman como hermanos; y pues Dios les da con qué, no riñan, que para todos hay." Volvióse a gozar del sol, y dejónos solos. Certifico a vuesa merced que vi a uno de ellos, al más flaco, que se llamaba Jurre, vizcaíno, tan olvidado de cómo y por dónde se comía, que una cortecilla que le cupo la llegó dos veces a los ojos, y entre tres no acertaban a encaminarle las manos a la boca. Pedí yo de beber, que los otros por estar casi en ayunas no lo hacían, y diéronme un vaso con agua; y no lo hube bien llegado a la boca, cuando, como si fuera lavatorio de comunión, me lo quitó el mozo espiritado. Levantéme con gran dolor de mi alma, viendo que estaba en casa donde se brindaba a las tripas y no hacían la razón. Dióme gana de descomer, aunque no había comido, digo, de proveerme, y pregunté por las necesarias a un antiguo, y díjome que "como no lo son en esta casa, no las hay; para una vez que os proveeréis mientras estuviéredes en esta casa, donde quiera basta, que aquí estoy dos meses ha, y no he hecho tal cosa si no fué el día que entré, como ahora vos, de lo que en mi casa había cenado la noche antes". ¿Cómo encareceré yo mi tristeza y pena? Que fué tanta, que considerando lo poco que había de entrar en mi cuerpo, no osé, aunque tenía gana, echar nada dél.

Entretuvímonos hasta la noche. Decíame don Diego que qué haría él para persuadir a las tripas que habían comido, porque no lo querían creer. Andaban váguidos por aquella casa, como en otras ahitos. Llegó la hora del cenar (pasóse la del merendar en blanco); cenamos mucho menos, y no carnero, sino un poco del nombre del maestro: cabra asada. Mire vuesa merced si inventara el diablo tal cosa. "Es muy saludable cenar poco", decía, "para tener el estómago desocupado", citando una retahila de médicos infernales. Decía alabanzas de la dieta, y que con esto no tendrían sueños pesados, sabiendo que en su casa no se podía soñar otra cosa sino que comían. Cenaron, y cenamos todos, y no cenó ninguno.

Fuímonos a acostar, y en toda la noche no pudimos don Diego ni yo dormir; él trazando de quejarse a su padre y pidiendo le sacase de allí, y yo aconsejándole que lo hiciese, aunque últimamente le dije: "Señor, ¿sabéis de cierto si estamos vivos?; porque yo imagino que en la pendencia de las berceras nos mataron, y que somos ánimas que estamos en el purgatorio; y así, es por demás decir que nos saque vuestro padre, si alguno no nos reza en alguna cuenta de perdones, y nos saca de penas con alguna misa en algún altar previlegiado."

Entre estas pláticas y un poco que dormimos se llegó la hora de levantar; dieron las seis, y llamó Cabra a lición; fuimos y oímosla todos. Sacaba los dientes con tobas amarillas, vestidos de desesperación. Mandáronme leer el primer nominativo, y era de manera mi hambre, que me desayuné con la mitad de las razones, comiéndomelas. Y todo esto creerá quien supiere lo que me contó el mozo de Cabra, diciendo que le había visto meter en casa, recién venido, dos frisones, y que a dos días salieron caballos ligeros, que volaban por los aires; y que vió meter mastines pesados, y a tres horas salir galgos corredores; y que una cuaresma topó muchos hombres, unos metiendo los pies, otros las manos, otros todo el cuerpo, en el portal de su casa, y esto por muy gran rato, y mucha gente que venía a sólo aquello de fuera; y que preguntando a uno un día que qué sería, porque Cabra se enojó de que lo preguntase, respondió que los unos tenían sarna y los otros sabañones, y que metiénlos en aquella casa morían de hambre, de manera que no comían desde allí adelante. Certificóme que era verdad, y yo, que conocí la casa, lo creí; dígolo porque no parezca encarecimiento lo que dije. Y volviendo a la lición, dióla, y decorámosla. Y prosiguió siempre en aquel modo de vivir, que sólo vino a añadir tocino a la olla, por no sé que le dijeron un día de hidalguía; y así, tenía una salvadera de hierro; abríala y metía en ella el tocino que la llenase, y volvíala a cerrar, y metíala en la olla, colgando de un cordel, para sacarla luego en dando algún zumo por los agujeros, y quedase el tocino para otro día. Parecióle después que se gastaba mucho, y dió en sólo asomar el tocino a la olla.

Pasábamoslo con estas cosas como se puede imaginar. Vímonos don Diego y yo tan perdidos, que ya que para comer no hallábamos remedio, le buscamos para no levantarnos de la cama, diciendo que estábamos malos; no nos atrevíamos a decir nada de calentura, porque no la teniendo, era fácil de conocerlo; y dolor de cabeza o muelas era poco estorbo; pero dijimos que nos dolían mucho las tripas, y que no podíamos hacer de nuestras personas tres días había, fiados de que a trueque de no gastar dos cuartos en una melecina, no buscaría el remedio. Mas ordenólo el diablo de otra suerte, porque tenía una jeringa que había heredado de su padre, que fué boticario. Supo el mal, y tomóla y hizo una melecina; llamó a una vieja de setenta años, tía suya, que le servía de enfermera; dijo que nos echase sendas gaitas. Empezaron por don Diego, y el desventurado abajóse; y la vieja, en vez de echársela dentro, disparósela por entre la camisa y el espinazo, y dió con ella en el cogote, sirviendo por defuera guarnición la que dentro había de ser aforro. Quedó el mozo dando gritos; vino Cabra, y viéndolo, dijo que me echasen a mí otra, que luego volverían a echársela a don Diego. Yo resistíame, y al fin no me valió, porque teniéndome Cabra y otros, me la echó la vieja, a la cual de retorno dí con ella en toda la cara. Enojóse Cabra conmigo, y dijo que él me echaría de su casa, que bien se echaba de ver que era bellaquería todo. Yo rogaba a Dios que se enojase tanto que me despidiese; mas no lo quiso mi ventura.

Quejábamonos nosotros al padre de don Diego, y el Cabra le hacía creer que lo hacíamos por no asistir al estudio. Con esto no nos valían plegarias. Metió en casa la vieja por ama, para que guisase de comer, y sirviese a los pupilos; despidió al criado

porque le halló un viernes a la mañana con unas migajas de pan
en la ropilla. Lo que pasábamos con la vieja, Dios lo sabe; era
tan sorda, que era menester desgañitarnos, y casi ciega de todo
punto; y tan gran rezadera, que un día se le desensartó el rosario
sobre la olla, y nos trajo el caldo más devoto que he comido.
Unos decían: "Estos sin duda son garbanzos negros de Etiopía;
otros, garbanzos con luto. ¿Quién se les habrá muerto?" Mi amo
fué el primero que se encajó una cuenta, y al mascarla se le quebró
un diente. Los viernes solía enviar unos huevos, con tantas barbas,
a fuerza de pelos y canas suyas, que pudieran pretender corregi-
miento o abogacía. Pues meter el badil por cucharón y enviar una
escudilla de caldo empedrada, era muy ordinario. Mil veces topé
yo sabandijas, y palos, y estopa de la que hilaba, en la olla; y
todo lo metía para que hiciese presencia en las tripas.

Pasamos con este trabajo hasta la cuaresma, y a la entrada
della estuvo malo un compañero. Y Cabra, por no gastar, detuvo
el llamar médico hasta que ya él pedía confesión. Llamó entonces
un platicante, y tomándole el pulso, dijo que la hambre le había
ganado por la mano en matar aquel hombre. Diéronle el Santísimo Sacramento, y el pobre cuando le vió —que había un día
que no hablaba—, dijo: "Señor mío Jesucristo, necesario ha sido
el veros entrar en esta casa para persuadirme que no es el infierno."
Imprimiéronseme estas razones en el corazón. Murió el pobre mozo; enterrámosle muy pobremente, por ser forastero, y quedamos
asombrados todos. Divulgóse por el pueblo el caso atroz; llegó a
oídos de don Alonso Coronel, y como no tenía otro hijo, desen-
gañóse de los embustes de Cabra, y comenzó a dar más crédito
a las razones de dos sombras, que ya estábamos reducidos a tan
mísero estado. Vino a sacarnos del pupilaje, y teniéndonos delante,
nos preguntaba por nosotros; y tales nos vió, que sin aguardar
a más, tratando muy mal de palabra al licenciado Vigilia, nos
mandó llevar en dos sillas a casa. Despedímonos de los compañeros, que nos seguían con los deseos y con los ojos, haciendo las
lástimas que hace el que queda en Argel, viendo venir rescatados
por la Trinidad a sus compañeros.

CAPITULO IV

Entramos en casa de don Alonso, y echáronnos en dos camas con mucho tiento, porque no se nos desparramasen los huesos, de puro roídos de la hambre. Trajeron exploradores que nos buscasen los ojos por toda la cara; y a mí, como había sido mi trabajo mayor y la hambre imperial —que al fin me trataban como a criado—, en buen rato no me los hallaron. Trajeron médicos, y mandaron que nos limpiasen con zorras el polvo de las bocas, como retablos, y bien lo éramos de duelos; ordenaron que nos dieran sustancias y pistos. ¿Quién podrá contar, a la primera almendrada y a la primera ave, las luminarias que las tripas pusieron de contento? Todo les hacía novedad. Mandaron los doctores que por nueve días no hablase nadie recio en nuestro aposento, porque como estaban huecos los estómagos, sonaba en ellos el eco de cualquier palabra. Con estas y otras prevenciones comenzamos a volver y cobrar algún aliento; pero nunca podían las quijadas desdoblarse, que estaban magras y alforzadas, y así se dió orden que cada día nos las ahormasen con la mano del almirez. Levantámonos a hacer pinicos dentro de cuarenta días, y aún parecíamos sombras de otros hombres; y en lo amarillo y flaco, simiente de los padres del yermo. Todo el día gastábamos en dar gracias a Dios por habernos rescatado de la captividad del fierísimo Cabra, y rogábamos al Señor que ningún cristiano cayese en sus manos crueles. Si acaso, comiendo, alguna vez nos acordábamos de las mesas del mal pupilero, se nos aumentaba la hambre tanto, que acrecentábamos la costa aquel día. Solíamos contar a don Alonso cómo al sentarse a la mesa nos decía mil males de la gula, no la habiendo él conocido en su vida; y reíase mucho cuando le contábamos que en el mandamiento de *No matarás* metía perdices, capones y gallinas y todas las cosas que no quería darnos, y, por el consiguiente, la hambre, pues parecía que tenía por pecado, matarla y aun herirla, según regateaba el comer.

Pasáronsenos tres meses en esto, y al cabo trató don Alonso de enviar a don Diego, su hijo, a Alcalá a estudiar lo que le faltaba de la gramática. Díjome a mí si quería ir; y yo, que no deseaba otra cosa sino salir de tierra donde se oyese el nombre de aquel malvado perseguidor de estómagos, ofrecí de servir a su hijo como vería. Y con esto dióle un criado para mayordomo, que le gobernase la casa y tuviese cuenta del dinero del gasto, que nos daba remitido en cédulas para un hombre que se llamaba Julián Merluza. Pusimos el hato en el carro de un Diego Monje; era una media camita y otra de cordeles, para meterla debajo de la otra mía y del mayordomo, que se llamaba Tomás de Baranda; cinco colchones, ocho sábanas y ocho almohadas, cuatro tapices, un cofre con ropa blanca y las demás zarandajas de casa.

Nosotros nos metimos en un coche, salimos a la tardecita, una hora antes de anochecer, y llegamos a la media noche poco más a la siempre maldita venta de Viveros. El ventero era morisco y ladrón, que en mi vida vi perro y gato juntos con la paz de aquella noche; hízonos gran fiesta, y como él y los ministros del carretero iban horros —que ya había llegado con el hato media hora antes, porque nosotros veníamos despacio—, pegóse al coche, dióme a mí la mano para salir del estribo. Preguntó si iba a estudiar; yo le respondí que sí. Metióme adentro, y estaban dos rufianes con unas mujercillas, y un cura rezando al olor; y un viejo, mercader y avariento, estaba procurando olvidarse de cenar; y dos estudiantes fregones, de los de mantillinas, buscando trazas para engullir. Mi amo, pues, como más nuevo en la venta y muchacho dijo:

"Señor huésped, deme lo que hubiere, para mí y mis criados." "Todos lo somos de vuesa merced (dijeron al punto los rufianes), y le hemos de servir. Hola, huésped, mirad que este caballero os agradecerá lo que hiciéredes; vaciad la despensa." Y diciendo esto llegóse el uno y quitóle la capa, y dijo: "Descanse vuesa merced, mi señor", y púsola en un poyo. Estaba yo con esto desvanecido y hecho dueño de la venta. Dijo una de las ninfas: "¡Qué buen talle de caballero! ¿Va a estudiar? ¿Es vuesa merced su criado?" Yo respondí, creyendo que era así, que yo y el otro lo éramos. Preguntóme por su nombre, y no se lo hube bien dicho, cuando uno de los estudiantes se llegó a él medio llorando, y, dándole un abrazo apretadísimo, le dijo: "¡Oh mi señor don Diego! ¡Quién me dijera a mí, agora diez años, que había de ver a vuesa merced desta manera! ¡Desdichado de mí, que estoy tal, que no me conocerá vuesa merced!" El se quedó admirado y yo también, que juramos entrambos no haberle visto en nuestra vida. El otro compañero andaba mirando a don Diego a la cara, y dijo a su amigo:

"¿Es este señor de cuyo padre me dijiste vos tantas cosas? ¡Gran dicha ha sido encontrarle, según está de grande! Dios le guarde." Y empezó a santiguarse. ¿Quién no creyera que se habían criado con nosotros? Don Diego se le ofreció mucho, y preguntándole su nombre, salió el ventero y puso los manteles; y oliendo la estafa, dijo: "Dejen eso, que después de cenar se hablará, que se enfría." Llegó un rufián y puso asientos para todos y una silla para don Diego, y el otro trajo un plato. Los estudiantes dijeron: "Cene vuesa merced, que entre tanto que a nosotros nos adrezan lo que hubiere, le serviremos a la mesa."

"¡Jesús! (dijo don Diego), vuesas mercedes se sienten si son servidos." Y a esto dijeron los rufianes (no hablando con ellos): "Luego, mi señor, que no está todo a punto." Yo cuando vi a los unos convidados y a los otros que se convidaban, afligíme, y temí lo que sucedió; porque los estudiantes tomaron la ensalada, que era un razonable plato, y mirando a mi amo, dijeron: "No es razón que donde está un caballero tan principal, se queden estas damas sin comer: mande vuesa merced que alcancen un bocado." El, haciendo del galán, convidólas; sentáronse, y entre los dos estudiantes y ellas no dejaron sino un cogollo, en cuatro bocados, el cual se comió don Diego; y al dársele aquel maldito estudiante, le dijo: "Un abuelo tuvo vuesa merced, tío de mi padre, que en viendo lechugas se desmayaba; ¡qué hombre era tan cabal!" Y diciendo esto, sepultó un panecillo; y el otro, otro. Pues las putas daban ya cuenta de un pan; y el que más comía era el cura, con el mirar sólo. Sentáronse los rufianes con medio cabrito asado y dos lonjas de tocino y un par de palomas cocidas, y dijeron: "Pues, padre, ¿ahí se está? Llegue y alcance, que mi señor don Diego nos hace merced a todos." No bien se lo dijeron, cuando se sentó. Ya cuando vió mi amo que todos se le habían encajado, comenzó a afligirse. Repartiéronlo todo, y a don Diego dieron no sé qué huesos y alones; lo demás engulleron el cura y los otros.

Decían los rufianes: "No cene mucho, señor, no le haga mal."
Replicaba el maldito estudiante: "Y más que es menester hacerse
a comer poco para la vida de Alcalá." Yo y el otro criado estábamos rogando a Dios que les pusiese en corazón dejasen algo.
Y ya que lo hubieron comido todo, y que el cura repasaba los
huesos de los otros, volvió el un rufián y dijo: "¡Oh pecador de
mí, que no hemos dejado nada a los criados. Venga acá vuesa
merced, señor huésped, déles todo lo que hubiere." Tan presto
saltó el descomulgado 'pariente de mi amo (digo el escolar):

"Aunque vuesa merced me perdone, señor hidalgo, debe de
saber poco de cortesía; ¿conoce por dicha a mi señor primo? El
dará a sus criados, y aun a los nuestros si los tuviéramos, como
nos ha dado a nosotros"; y volviéndose a don Diego, que estaba
pasmado, dijo: "No se enoje vuesa merced, que no le conocían."
Maldiciones le eché cuando vi tan grande disimulación, que no
pensé acabar.

Levantaron las mesas, y todos dijeron a don Diego que se
acostase; él quería pagar la cena, y dijéronle que no lo hiciese, que
a la mañana habría lugar. Estuviéronse un rato parlando; pre-
guntóle su nombre al estudiante, y él dijo que se llamaba Pedro
Coronel. En malos infiernos arda, dondequiera que está. Vio el
avariento que dormía, y dijo: "¿Vuesa merced quiere reír? Pues
hagamos alguna burla a este mal viejo, que no ha comido sino
un pero en todo el camino, y es riquísimo." Los rufianes dijeron:
"Bien haya el licenciado, que es razón, hágalo." Con esto se llegó,
y sacó al pobre viejo (que dormía) de debajo de los pies unas
alforjas, y desenvolviéndolas halló una caja; y como si fuera de
guerra, hizo gente. Llegáronse todos, y abriéronla, la cual estaba
llena de alcorzas. Sacó todas cuantas había, y en su lugar puso
piedras, palos y cuanto halló; luego se proveyó sobre lo dicho, y
encima de la suciedad puso hasta una docena de yesones. Cerró
la caja y dijo: "Pues aún no basta, que bota tiene el viejo." Sacó
el vino, y desenfundando una almohada de nuestro coche, después
de haber echado un poco de vino debajo, se la llenó de lana
y estopa, y la cerró. Con esto se fueron todos a acostar para una
hora que quedaba; púsolo todo en las alforjas, y en la capilla del
gabán echó una gran piedra, y fuése a dormir.

Llegó la hora del caminar, despertaron todos, y el viejo todavía
dormía. Llamáronle, y al levantarse no podía levantar la capilla

del gabán; miró lo que era, y el mesonero adrede le riñó, y dijo: "¡Ah, cuerpo de Dios!, ¿no halló otra cosa que llevarse, padre, sino esa piedra? ¿Qué les parece a vuesas mercedes, si yo no lo hubiera visto? Cosa es que estimo en más de cien ducados, porque es contra el dolor de estómago." Jurábase y perjurábase diciendo que él no había metido tal piedra en la capilla.

Los rufianes hicieron la cuenta, y vino a montar sesenta reales, que no entendiera Juan de Leganés la suma. Decían los estudiantes: "¡Cómo hemos de servir a vuesa merced en Alcalá!" Quedamos asustados de ver el gasto. Almorzamos un bocadillo, y el viejo tomó sus alforjas; y porque no viésemos lo que sacaba, por no partir con nosotros, desatólas a escuras debajo de la capa; y agarrando un yesón untado, echósele en la boca; fuele a hincar un diente y media muela que tenía, y por poco los perdiera. Comenzó a escupir y hacer gestos de asco. Llegamos todos a él, y el cura el primero, diciéndole que qué tenía; empezó a ofrecerse a Satanás, y dejó caer las alforjas; llegóse a él el estudiante, y dijo: "Arriedro vayas, Satán, cata la cruz." El otro abrió un breviario, y hiciéronle creer que estaba endemoniado, hasta que él mismo dijo lo que era, y pidió que le dejasen enjuagar la boca con un poco de vino que él traía. Dejáronle, y sacando y abriendo la bota, echó en un vaso un poco de vino; salió con lana y estopa un vino salvaje, tan barbado y velloso, que no se podía beber ni colar. Entonces el viejo acabó de perder la paciencia; comenzaron todos a descomponerse de risa; tuvo por bien de callar y meterse en el carro con los rufianes y las mujeres. Los estudiantes y el cura se ensartaron en un borrico, y nosotros nos metimos en nuestro coche; y apenas habíamos comenzado a caminar, cuando unos y otros nos empezaron a dar vaya, declarando la burla, y el ventero decía: "Señor nuevo, a pocas estrenas como ésta, envejecerá." El cura decía: "Sacerdote soy, allá se lo dirán de misas." Y el estudiante maldito voceando decía: "Señor primo, otra vez rásquese cuando le coma, y no después." Y otro decía: "Sarna dé vuesa merced, señor don Diego." Nosotros dimos en no hacer caso. Dios sabe cuán corridos íbamos.

Con estas y otras cosas llegamos a Alcalá a las nueve, y en todo el día acabamos de contar la cena pasada, y nunca pudimos sacar en limpio el gasto.

CAPITULO V

Antes que anocheciese salimos del mesón a la casa que nos tenían alquilada, que era fuera de la puerta de Santiago, patio de estudiantes donde hay muchos juntos, aunque ésta teníamos entre tres moradores diferentes. Era el dueño y huésped de los que creen en Dios por cortesía o sobre falso; moriscos los llaman en el pueblo, que hay muy grande cosecha desta gente y de la que tiene sobradas narices, y sólo les faltan para oler tocino; digo esto, confesando la mucha nobleza que hay entre la gente principal, que cierto es mucha. Recibióme, pues, el huésped con peor cara que si yo fuera el Santísimo Sacramento; ni sé si lo hizo porque le comenzásemos a tener respeto, o por ser natural suyo, que esta gente no es mucho tenga mala condición no teniendo buena ley. Pusimos nuestro hatillo, acomodamos las camas y lo demás, y durmimos aquella noche. En amaneciendo, helos aquí en camisa a todos los estudiantes de la posada a pedir la patente a mi amo. El, que no sabía lo que era, preguntó que qué querían. Y yo, entretanto, por lo que podía suceder, me acomodé entre dos colchones, y sólo tenía la media cabeza de fuera, que parecía tortuga. Pidieron dos docenas de reales; diéronselos, y luego comenzaron una grita del diablo, diciendo: "Viva el compañero, y sea admitido en nuestra amistad, y goce de las preeminencias de antiguo: pueda tener sarna, ande manchado y padezca la hambre que todos." ¡Mire vuesa merced qué privilegios! Volaron por la escalera, y al momento nos vestimos nosotros.

Tomamos el camino para escuelas. A mi amo apadrináronle unos colegiales conocidos de su padre, y entró en su general; pero yo, que había de entrar en otro diferente, fuí solo. Comencé a temblar, entré en el patio, y no hube metido bien el pie, cuando me

encararon y comenzaron a decir: "¡Nuevo!" Yo, por disimular,
di en reirme, como que no hacía caso; mas no bastó, porque lle-
gándose a mí ocho o nueve, comenzaron a reírse. Púseme colorado;
nunca Dios lo permitiera, pues al instante se puso uno que estaba
a mi lado las manos en las narices, y apartándose, dijo: "Por resucitar está este Lázaro, según hiede", y con esto todos se apar-
taron, tapándose las narices. Yo, que me pensé escapar, puse las
manos también, y dije: "Vuesas mercedes tienen razón, que huele
muy mal." Dióles mucha risa, y apartándose, ya estaban juntos
hasta ciento. Comenzáronse a descarar y a tocar al arma, y en
las toses y abrir y cerrar de las bocas vi que se me aparejaban
gargajos. En esto un manchegazo acatarrado hízome alarde de
una onza. Yo entonces, que me vi perdido, dije: "Juro a Dios
que ma..."; iba a decir "te", pero fué tal la batería y lluvia de
los gargajos que llovía sobre mí, que no pude acabar la razón.
Eché de ver que unos parecían tripas de los que los tiraban, según eran de largos; otros acabándoseles la saliva, pedían pres-
tados a las narices sus tuétanos, y venían con algunas balas de
mocos secos, tan recios que hacían batería y señal en la capa.
Yo estaba cubierto el rostro con ella, y tan blanco, que todos
tiraban a mí; era de ver cómo tomaban la puntería. Estaba ya
nevado de pies a cabeza; pero un bellacón viéndome cubierto,
y que no tenía en la cara cosa, vínose para mí, diciendo con gran
cólera: "Bastan gargajos, no le matéis." Yo, que según me maltra-
taban, creí dellos que lo harían, destapéme por ver lo que era,
y al mismo punto el que daba las voces traía empuñado un
moco verdinegro y sacándole de revés, me le clavó en los dos
ojos. Aquí se han de considerar mis angustias; levantó la infernal gente una grita sobre mí, que me aturdieron; y yo, según lo que echaron sobre mí de sus estómagos, pienso que
por ahorrar médicos y boticas aguardaban nuevos para purgar-
se. Quisieron tras esto darme de pescozones; pero no había
dónde, sin llevarse en las manos la mitad del afeite de mi negra
capa, ya blanca por mis pecados. Dejáronme, y fuíme a casa, que
apenas acerté; y tuve ventura en ser de mañana, que topé solos dos
o tres muchachos, que debían de ser bien inclinados, porque no
me tiraron más de cinco o seis estropajos, y luego me dejaron.
Entré en casa, y el morisco, en viéndome, comenzóse a reír y hacer
como que quería escupirme. Yo, que temí que lo hiciese, dije:

"Huésped, mire que no soy *Ecce-Homo.*" Nunca lo dijera, porque me sacudió lindos golpazos en estos hombros con unas pesas que tenía. Con esta ayuda de costa, medio derrengado, subí arriba; y en buscar de dónde asir para quitarme el manteo y la sotana se pasó gran rato; al fin me le quité y echéme en la cama, y colguélo en una azutea. Vino mi amo, y como me halló durmiendo y no sabía la asquerosa aventura, enojóse, y comenzó a darme tantos repelones y con tanta priesa, que a dos más despertara calvo. Levantéme dando voces y quejándome, y él con más cólera dijo: "¿Es buen modo de servir éste, Pablos? Ya es otra vida." Yo, cuando oí decir otra vida, entendí que ya era muerto, y dije: "Bien me anima vuesa merced en mis trabajos; vea cuál está aquella sotana y manteo que ha servido de pañizuelo a las mayores narices que se han visto jamás en paso, y míreme estas costillas", y con esto empecé a llorar. Viendo mi llanto, creyólo, y buscando la sotana y hallándola, se compadeció de mí, y dijo: "Pablo, abre el ojo que asan carne; mira por ti, que aquí no tienes otro padre ni madre." Contéle todo lo que había pasado, y mandóme desnudar y llevar a mi aposento, que era donde dormían cuatro criados de los huéspedes de casa.

Acostéme y dormí, y con esto a la noche, después de haber comido y cenado bien, me hallé fuerte como si no hubiera pasado nada por mí. Pero cuando comienzan desgracias en uno, nunca parece que han de acabar, que andan encadenadas, y unas traen a otras. Viniéronse a acostar los otros, y saludándome todos, me preguntaron si estaba malo, y cómo estaba en la cama. Yo les conté el caso, y al punto, como si en ellos no hubiera mal ninguno, se comenzaron a santiguar diciendo: "No se hiciera esto entre luteranos. ¡Hay tal maldad!" Otro decía: "El retor tiene la culpa en no poner remedio. ¿Conocerá vuesa merced a los que eran?" Yo respondí que no, agradeciéndoles la merced que me mostraban hacer. Con esto se acabaron de desnudar, acostáronse, mataron la luz y dormíme yo, que me parecía estaba con mi propio padre y con mis hermanos.

Y a cosa de las doce, el uno de ellos me despertó a puros gritos, diciendo: "¡Ay, que me matan! ¡Ladrones!" Sonaban en su cama entre estas voces unos golpazos de látigo. Yo levanté la cabeza y dije: "¿Qué es eso?"; y apenas lo hube dicho, cuando con una maroma me asentaron un azote con hijos en todas las espaldas. Comencé a quejarme, quíseme levantar, comenzó a quejarse el otro también y dábame a mí solo. Yo comencé a decir: "¡Justicia de Dios!" Pero menudeaban tanto los azotes sobre mí, que ya no me quedó —por haberme tirado las frazadas abajo— otro remedio sino meterme bajo de la cama. Hícelo así, y al punto los tres que dormían empezaron a dar gritos también; y como sonaban los azotes, yo creí que alguno de afuera nos sacudía a todos. Entretanto, aquel maldito que estaba junto a mí se pasó a mi cama, y se proveyó en ella, y puso la ropa; y pasándose a la suya, cesaron los azotes, y levantáronse con grandes gritos todos cuatro diciendo: "Es gran bellaquería, y no ha de quedar así." Yo todavía estaba debajo de la cama, quejándome como perro cogido entre puertas, tan encogido, que parecía galgo con calambre. Hicieron los otros que cerraban la puerta, y yo luego salí de donde estaba, y subíme a mi cama, preguntando si acaso les habían hecho mal: todos se quejaban de muerte.

Acostéme y entréme, y torné a dormir, y como entre sueños me revolcase, cuando desperté halléme sucio hasta las trencas. Levantáronse todos, y yo tomé por achaque los azotes para no vestirme; no había diablos que me moviesen de un lado. Estaba confuso, considerando si acaso con el miedo y la turbación, sin sentirlo, había hecho aquella vileza, o si entre sueños; al fin yo me hallaba inocente y culpado, y no sabía cómo disculparme. Los compañeros se llegaron a mí, quejándose y muy disimulados, a preguntarme cómo estaba; yo les dije que muy malo, porque me habían dado muchos azotes. Preguntábales yo que qué podría haber sido, y ellos decían: "A fe que no se escape, que el matemático nos lo dirá. Pero dejando esto, veamos si estáis herido, que os quejábades mucho." Y diciendo esto, fueron a levantar la ropa, con deseo de afrentarme. En esto mi amo entró diciendo: "¿Es posible, Pablos, que no he de poder contigo? Son ya las ocho, ¿y estáste en la cama? Levántate en noramala." Los otros, por asegurarme, contaron a don Diego el caso todo, y pidiéronle que me dejase dormir. El uno decía: "Si vuesa merced no lo cree, levántate amigo", y agarraba de la ropa. Yo la tenía asida con los dientes por no mostrar la caca, y cuando ellos vieron que no había remedio por aquel camino, dijo uno: "¡Cuerpo de Dios, y cómo hiede!" Don Diego dijo lo mismo, porque era verdad; y luego tras él comenzaron todos a mirar si había en el aposento algún servicio; decían que no se podía estar allá. Dijo uno: "Pues es muy bueno esto para haber de estudiar." Miraron las camas, quitáronlas para ver debajo; dijeron: "Sin duda en la de Pablos hay algo; pasémosle a una de las nuestras, y miremos debajo de ella." Yo, que veía poco remedio en el negocio y que me iban a echar la garra, fingí que me había dado mal de corazón; agarréme a los palos, hice visajes. Ellos, que sabían el misterio, apretaron conmigo, diciendo: "¡Gran lástima!" Don Diego me tomó el dedo de corazón, y al fin entre los cinco me levantaron; y al alzar las sábanas fué tanta la risa de todos, viendo no los palominos, sino palomos grandes, que se hundía el aposento. "Pobre dél", decían los bellacos; y yo hacía del desmayado: "Tírele vuesa merced muy recio de ese dedo del corazón"; mi amo, entendiendo hacerme bien, tanto tiró que me le desconcertó. Los otros trataron de darme un garrote en los muslos, y decían: "El pobrecito agora sin duda se ensució cuando le dió el mal." ¡Quién dirá lo que yo pasaba entre mí, lo uno con la vergüenza, descoyuntado un dedo y a peligro de que me diesen garrote! Al fin, de miedo de que me le dieran —que ya me tenían los cordeles en los muslos—, hice que había vuelto en mí; y por presto que lo hice, como los bellacos iban con malicia, ya me habían hecho dos dedos de señal en cada pierna. Dejáronme, diciendo: "¡Jesús, y qué flaco sois!" Yo lloraba de enojo, y ellos decían adrede: "Más va, amigo, en vuestra salud que en haberos ensuciado; callá." Y con esto me pusieron en la cama después de haberme lavado, y se fueron.

Yo no hacía a solas sino considerar cómo casi era peor lo que había pasado en Alcalá en un día, que todo lo que me sucedió con Cabra. A mediodía me vestí, limpié la sotana lo mejor que pude —lavándola como gualdrapa—, y aguardé a mi amo, que en llegando, me preguntó cómo estaba. Comieron todos los de casa, y yo, aunque poco y de mala gana; y después, juntándonos todos a parlar en el corredor, los otros criados después de darme vaya, declararon la burla. Riéronse todos; doblóseme mi afrenta, y dije entre mí: "Ea, Pablos, alerta." Propuse de hacer nueva vida. Y con esto, hechos amigos, vivimos de allí adelante todos los de la casa como hermanos, y en las escuelas nadie me inquietó más.

CAPITULO VI

"Haz como vieres" dice el refrán, y dice bien. De puro considerar en él, vine a resolverme en ser bellaco con los bellacos, y más que todos, si más pudiese. No sé si salí con ello; pero yo aseguro a vuesa merced que hice todas mis diligencias posibles. Lo primero, yo puse pena de la vida a todos los cochinos que se entrasen en casa, y a los pollos del ama, que del corral pasasen a mi aposento. Sucedió que un día entraron dos puercos del mejor garbo que he visto en mi vida; yo estaba jugando con los otros criados, y oírlos gruñir; y dije al uno: "Vaya y vea quién gruñe en nuestra casa." Fué, y dijo que dos marranos. Yo que lo oí, enojéme tanto, que salí allá diciendo que era mucha bellaquería y atrevimiento el venir a gruñir a casas ajenas; y diciendo esto, envaséle a cada uno —a puerta cerrada— la espada por los pechos, y luego los acogotamos; y por que no se oyese el ruido que hacían, a la par dábamos grandísimos gritos, como que cantábamos, y así espiraron en nuestras manos. Sacamos los vientres y recogimos la sangre; y a puros jergones medio los chamuscamos en el corral; de suerte que cuando vinieron los amos, ya estaba todo hecho, aunque mal, sino eran los vientres, que aún no estaban acabadas de hacer las morcillas, y no por falta de priesa, que en verdad que por no detenernos, las habíamos dejado la mitad de lo que ellas se tenían dentro. Supo, pues, don Diego y el mayordomo el caso, y enojáronse conmigo de manera que obligaron a los huéspedes —que de risa no se podían valer— a volver por mí. Preguntábame don Diego que qué había de decir, si me acusaba y me prendía la justicia. A lo cual respondí yo que me llamaría a hambre, que es el sagrado de los estudiantes; y si no me valiese, diría que "como se entraron sin llamar a la puerta, como en su casa, que entendí que eran nuestros". Riéronse todos de la discul-

pa, y dijo don Diego: "A fe, Pablos, que os hacéis a las armas."
Era de notar ver a mi amo tan quieto y religioso, y a mí tan
travieso; que el uno exageraba al otro o la virtud o el vicio.

No caía ·el ama de contento conmigo, porque éramos dos
al mohino; habíamos conjurado contra la despensa. Yo era el
despensero Judas, que desde entonces yo heredé no sé qué amor
a la sisa en este oficio. La carne no guardaba en manos de la
ama la orden retórica, porque siempre iba de más a menos; y
la vez que podía echar cabra o oveja, no echaba carnero; y
si había huesos, no entraba cosa magra; hacía unas ollas éticas,
de puro flacas; unos caldos, que, a estar cuajados, se pudieran
hacer sartas de cristal. Las Pascuas, por diferenciar y que estuviese gorda la olla, solía echar cabos de velas de sebo. Ella decía
—cuando yo estaba delante— a mi amo: "Por cierto que no hay
servicio como el de Pablos, si él no fuese travieso; consérvele vuesa
merced, que bien se le puede sufrir el ser bellaquillo por la fi-
delidad; lo mejor de la plaza trae." Yo, por el consiguiente, decía della lo mismo; y así teníamos engañada la casa. Comprábanse
algunas cosas de por junto, y escondíamos la mitad del carbón
y del tocino; y cuando nos parecía, decíamos el ama y yo: "Mo-
dérense vuesas mercedes en el gasto, que en verdad, que si se
dan tanta priesa, que no baste la hacienda del rey. Ya se ha
acabado el aceite y el carbón; pero tal priesa se han dado. Manden vuesas mercedes comprar más, y a fe que se ha de lucir
de otra manera; denle dineros a Pablos." Dábanmelos, y vendía-
mosle la mitad sisada; y de lo que comprábamos, sisábamos la
otra mitad, y esto era en todo. Y si alguna vez compraba yo algo
en la plaza, por lo que valía reñíamos adrede el ama y yo. Ella
decía: "No me digas tú a mí, Pablicos, que éstos son dos cuartos
de ensalada." Yo hacía que lloraba, y daba voces; íbame a quejar
a mi señor, y apretábale para que enviase al mayordomo a saber-
lo, para que callase el ama, que adrede porfiaba. Y iba y sabíalo,
y con esto asegurábamos al amo y al mayordomo, y quedaban agra-
decidos: de mí, de las obras, y del ama, del celo de su bien.
Decíale don Diego muy satisfecho de mí: "Así fuese Pablicos aplicado a virtud como es de fiar."

Tuvímoslos desta manera chupándolos como sanguijuelas. Yo
apostaré que vuesa merced se espanta de la suma de dinero que
montó al cabo del año. Ello fué mucho, pero no debía de obligar

a restitución, porque la ama confesaba y comulgaba de ocho a ocho días, y nunca la vi rastro ni imaginación de volver nada ni hacer escrúpulo, con ser, como digo, una santa. Traía un rosario al cuello siempre, tan grande, que era más barato llevar un haz de leña a cuestas. Dél colgaban muchos manojos de imágenes, cruces y cuentas de perdones; en todas decía que rezaba cada noche por sus bienhechores. Contaba ciento y tantos santos abogados suyos, y en verdad que había menester todas estas ayudas para desquitarse de lo que pecaba. Acostábase en un aposento encima del de mi amo, y rezaba más oraciones que un ciego. Entraba por el Justo Juez y acababa por el *Cunquibult* y la *Salve, Regina*. Decía las oraciones en latín, adrede por fingirse inocente; de suerte que nos despedazábamos de risa todos. Tenía otras habilidades: era adquiridora de voluntades y corcheta de gustos, qué es lo mismo que alcahueta; pero disculpábase conmigo diciendo que la venía de casta, como al rey de Francia sanar lamparones.

Pensará vuesa merced que siempre estuvimos en paz; pues ¿quién ignora que dos amigos, como sean cudiciosos, si están juntos se han de procurar engañar el uno al otro? Sucedió que el ama tenía gallinas en el corral; yo tenía gana de comer una; tenía doce o trece pollos grandecitos, y un día, estándolos dando de comer, comenzó a decir: "Pío, pío". Yo, que oí el modo de llamar, comencé a dar voces: "¡Oh cuerpo de Dios, ama, no hubiérades muerto un hombre o hurtado moneda al rey, cosa que yo pudiera callar, y no haber hecho lo que habéis hecho, que es imposible dejarlo de decir. ¡Mal aventurado de mí y de vos!" Ella, como me vió hacer extremos con tantas veras, turbóse algún tanto y dijo: "Pues, Pablos, ¿yo qué he hecho? Si te burlas, no me aflijas más." "¿Cómo burlar, pese a tal? No puedo dejar de dar parte a la Inquisición, porque si no, estaré descomulgado." "¿Inquisición?", dijo ella, y empezó a temblar, "¿pues yo he dicho algo contra la fe?" "Eso es lo peor", decía yo; "no os burléis con los inquisidores; y decid que fuistes una boba, y que os desdecís; y no neguéis la blasfemia y desacato". Ella con el miedo dijo: "Pues, Pablos, si me desdigo, ¿castigaránme?" Dije: "No, que luego os absolverán." "Pues yo me desdigo", dijo, "pero dime tú de qué, que aún no lo sé yo; ansí tengan buen siglo las ánimas de mis difun-

tos". "¿Es posible que no advertís en qué? No sé cómo lo diga,
que el desacato es tal que me acobarda. ¿No os acordáis que di-
jistes a los pollos 'pío, pío', muchas veces, y es Pío nombre de
papas, vicarios de Dios y cabezas de la Iglesia? Papáos el peca-
dillo."

Ella quedó como muerta, y dijo: "Pablos, yo lo dije, pero
no me perdone Dios si lo dije con malicia, y me desdigo: mirad
si hay camino como se pueda escusar el acusarme, que me moriré
si me veo en la Inquisición." "Como vos juréis en una ara consagrada que no tuvisteis malicia, podré dejar de acusaros; pero será
necesario que esos dos pollos que comieron llamándolos con el
santísimo nombre de los pontífices, me los deis para que yo los
lleve a un familiar que los queme, porque están dañados, y tras
esto habéis de jurar de no reincidir de ningún modo." Ella muy
contenta dijo: "Pues llévate los pollos ahora, que mañana juraré."
Yo, por más asegurarla, dije: "Lo peor es, Cipriana —que así
se llamaba—, que voy a riesgo: que me diría el familiar que si
soy yo, y entre tanto me podrá hacer vejación. Llevadlos vos,
que yo, por Dios que temo." "Pablos —decía cuando me oyó
esto—, por amor de Dios, que te duelas de mí y los lleves, que a
ti no te puede suceder nada."

Dejéla que me lo rogase mucho; determinéme y tomé los pollos, escondílos en mi aposento; hice que iba fuera. Volví diciendo: "Mejor se ha hecho de lo que pensaba: quería el familiarito
venirse tras mí a ver la mujer, pero lindamente lo he negociado."

Dióme mil abrazos y otro pollo para mí; yo con él fuíme
a mi aposento; hice hacer en casa de un pastelero una cazuela,
y comímelos con los compañeros. Supo el ama y mi amo la maraña; toda la casa lo celebró con estremo, y el ama llegó tan al cabo
de pena, que por poco se muriera; y después con el enojo no estuvo dos dedos —a no tener por qué callar— de decir mis sisas.

Yo, que ya estaba mal con el ama, y que no la podía burlar,
busqué nuevas trazas de holgarme, y di en lo que llaman los
estudiantes correr o arrebatar. En esto me sucedieron cosas gra-
ciosísimas, porque yendo una noche a las nueve —que anda poca
gente— por la calle Mayor de Alcalá, vi en una confitería un
serón de pasas sobre el tablero; agarréle y di a correr, el confitero dió tras mí y otros criados y vecinos. Y como yo iba cargado,
consideré que aunque les llevaba ventaja, me habían de alcanzar;

y al volver una esquina sentéme sobre él, y envolví la capa a la pierna de presto, y empecé a decir con la pierna en la mano, fingiéndome pobre: "¡Ay Dios se lo perdone, que me ha pisado." Oyéronme esto, y en llegando comencé a decir: "Por tan alta Señora", y lo ordinario de "la hora menguada" y "aire corruto". Ellos venían desgañizándose, y dijéronme: "¿Va por aquí un hombre, hermano?" "Ahí va adelante, que aquí me pisó, loado sea el Señor."

Arrancaron con esto y fuéronse. Quedé solo, llevéme el lío a casa, conté la burla, y no quisieron creer que había sucedido así, aunque lo celebraron mucho, por lo cual les convidé para otra noche a verme correr cajas.

Vinieron, y advirtiendo ellos que estaban las cajas dentro de la tienda, y que no las podía tomar con la mano, tuviéronlo por imposible, y más por estar el confitero —por lo que sucedió al otro de las pasas— alerta. Vine, pues, y metiendo, doce pasos atrás de la tienda, mano a la espada, que era un estoque recio, partí corriendo; y en llegando a la tienda, dije: "Muera", y tiré una estocada por delante del confitero; y se dejó caer pidiendo confesión; y yo di la estocada en una caja, y la pasé y saqué en la espada; y me fuí con ella. Quedáronse espantados de ver la traza, y muertos de risa de que el confitero decía que le mirasen, que sin duda estaba herido, y que era un hombre con quien él había tenido palabras; pero volviendo los ojos, como quedaron desbaratadas al salir de la caja las que estaban alrededor, echó de ver la burla, y empezó a santiguarse, que no pensó acabar. Confieso que en mi vida me supo cosa tan bien. Decían los compañeros, que yo solo podía sustentar la casa con lo que corría, que es lo mismo que hurtar en nombre rebozado.

Yo, como era muchacho y veía que me alababan el ingenio con que salía de estas travesuras, animábanme para hacer muchas más. Cada día traía la pretina llena de jarras de monjas, que las pedía para beber, y me venía con ellas; introduje que no diesen nada sin prenda primero. Y ansí, prometí a don Diego y a todos los compañeros, una noche, de quitar las espadas a la misma ronda. Señalóse cuál había de ser; fuimos juntos, yo delante, y en columbrando la justicia, lleguéme yo con otro de los criados de casa, muy alborotado, y dije: "¿Justicia?" Respondieron: "Sí." "¿Es el señor corregidor?" Dijéronme que sí. Hinquéme de rodillas y dije: "En manos de vuesa merced está mi remedio y mi venganza, y mucho provecho de la república; mande vuesa merced oírme dos palabras a solas, si quiere una gran prisión." Apartóse, y ya los corchetes empuñaban sus espadas y sus varitas, y le dije: "Señor, yo he venido siguiendo desde Sevilla seis hombres los más facinorosos del mundo, todos ladrones y matadores de hombres; y entre ellos viene uno que mató a mi madre y a un hermano mío por saltearlos, y les está probado esto; y vienen acompañando, según he oído decir, a una espía francesa, y aun sospecho, por lo que les he oído, que es —y bajando la voz dije— de Antonio Pérez."

Con esto el corregidor dió un salto hacia arriba, y dijo: "¿Dónde están?" "Señor, en la casa pública —dije yo—; no se detenga vuesa merced, que las ánimas de mi madre y de mi hermano se lo pagarán en oraciones, y el rey acá." "¡Jesús, no nos detengamos!" —dijo—. "¡Hola!, seguidme todos, dadme una rodela."_ Yo entonces le dije, aparte: "Señor, perderse ha vuesa merced, si hace eso; porque antes importa que todos vuesas mercedes entren sin espadas y uno a uno, que ellos están en los aposentos, y traen pistolas; y en viendo entrar una espada, como saben que no las pueden traer sino la justicia, dispararán. Con dagas es mejor, y cogerlos por detrás los brazos, que demasiados vamos."

Cuadróle al corregidor la traza, con la cudicia de la prisión. En esto llegamos cerca, y el corregidor, advertido, mandó que debajo de unas hierbas pusiesen todos las espadas escondidas, en el campo que está enfrente casi de la misma casa; pusiéronlas y caminaron. Yo, que había avisado al otro, ellos dejarlas y él tomarlas y irse a casa fué todo uno; y al entrar todos, yo quedéme atrás el postrero; y en entrando ellos mezclados con otra gente que entraba, di cantonada, y emboquéme por una callejuela que va a dar a la Victoria, que no me alcanzara un galgo. Ellos que entraron y no vieron nada, porque no había sino estudiantes y pícaros, que es todo uno, comenzaron a buscarme, y no me hallando, sospecharon lo que fué, y yendo a buscar sus espadas, no las hallaron. ¿Quién pudiera contar las diligencias que con el retor hizo el corregidor aquella noche? Anduvieron todos los patios, reconociendo las caras y mirando las armas. Llegaron a casa, y yo, por que no me conociesen, estaba echado en la cama con un tocador, y con una vela en la mano y un Cristo en la otra, y un compañero clérigo ayudándome a morir; los demás, rezando las letanías. Llegó el retor y la justicia, y viendo el espectáculo, se sa-

lieron, no persuadiéndose que allí podía haber habido lugar para
tal cosa. No miraron nada, antes el retor me dijo un responso;
preguntó si estaba ya sin habla; dijéronle que sí. Y con tanto se
fueron, desesperados de no hallar rastro, jurando el retor de
remitírsele si le topase; y el corregidor, de ahorcarle, aunque fuese
hijo de un grande. Levantéme de la cama, y hasta hoy no se ha
acabado de solemnizar la burla en Alcalá.

Por ser largo, dejo de contar cómo hacía monte la plaza del
pueblo, pues de cajones de tundidores y plateros, y mesas de·fru-
teras —que nunca se me olvidará la afrenta de cuando fuí rey
de gallos— sustentaba la chimenea de casa todo el año. Callo también las pensiones que tenía sobre las viñas y huertas en todo
aquello de alrededor. Con estas y otras cosas comencé a cobrar
fama de travieso y de agudo entre todos. Favorecíanme los caballeros, y apenas me dejaban servir a don Diego, a quien siempre
tuve el respeto que era razón, por el mucho amor que me tenía.

CAPITULO VII

En este tiempo vino a don Diego una carta de su padre, en cuyo pliego venía otra de un tío mío, llamado Alonso Ramplón, muy conocido en Segovia por lo allegado que era a la justicia, pues cuantas allí se han hecho, de cuarenta años a esta parte, han pasado por sus manos. Verdugo era, si va a decir verdad, pero una águila en el oficio. Vérsele hacer, daba gana a uno de dejarse ahorcar. Este, pues, me escribió una carta a Alcalá, de Segovia, en esta forma:

CARTA

"Hijo Pablos" (que por el mucho amor que me tenía me trataba así): "Las ocupaciones grandes desta plaza en que me tiene ocupado su majestad, no me han dado lugar a hacer esto; que si algo tiene de malo el servir al rey, es el trabajo, aunque se desquita con esta negra honrilla de ser sus criados. Pésame de daros nuevas de poco gusto. Vuestro padre murió, ocho días ha, con el mayor valor que murió hombre en el mundo; dígolo como quien le guindó. Subió en el asno sin poner pie en el estribo; veníale el sayo baquero que parecía haberse hecho para él; y como él tenía aquella presencia, nadie le veía con los Cristos delante, que no le juzgase por ahorcado. Iba con gran desenfado mirando a las ventanas y haciendo cortesías a los que dejaban sus oficios por mirarle; hízose dos veces los bigotes; mandaba descansar a los confesores, alabándoles mucho lo que decían. Puso un pie en la escalera, no subió a gatas ni despacio, y viendo un escalón hendido, volvióse a la justicia, y dijo que le mandase adrezar para otro, que no todos tenían sus hígados. No sabré encarecer cuán bien

pareció a todos. Sentóse arriba, tiró las arrugas de la ropa atrás;
tomó la soga y púsola en la nuez; y viendo que el teatino le quería predicar, vuelto a él, le dijo: "Padre, yo lo doy por predicado;
vaya un poco de Credo y acabemos presto, que no querría parecer
prolijo." Hízose así; encomendóme que le pusiese la caperuza de
lado, y que le limpiase las barbas; yo lo hice así. Cayó sin encoger
las piernas ni hacer gesto; quedó con una gravedad, que no había más que pedir. Hícele cuartos, y dile por sepultura los caminos; Dios sabe lo que a mí me pesa de verle en ellos, haciendo
mesa franca a los grajos; pero yo entiendo que los pasteleros desta
tierra le acomodarán en los de a cuatro, por consuelo de sus
deudos. De vuestra madre, aunque está viva ahora, casi os puedo
decir lo mismo; porque está presa en la Inquisición de Toledo,
porque desenterraba los muertos, sin ser murmuradora. Díjose
que daba paz cada noche al cabrón, en el ojo que no tiene niña.
Hallaron en su casa más piernas, brazos y cabezas que en una
capilla de milagros, y lo menos que hacía era sobrevirgos y con-
trahacer doncellas. Dicen que representará un auto el día de la
Trinidad, con cuatrocientos de muerte; pésame que nos deshonra
a todos, y a mí principalmente, que al fin soy ministro del rey,
y me están muy mal estos parentescos. Hijo, aquí ha quedado no
sé qué hacienda escondida de vuestros padres, que será hasta
cuatrocientos ducados; vuestro tío soy, y lo que tengo ha de
ser para vos. Vista ésta, os podréis venir por aquí, que con lo
que vos sabéis de latín y retóricas, seréis singular en el arte de
verdugo. Respondedme luego, y entre tanto Dios os guarde como
deseo."

No puedo negar que sentí mucho la nueva afrenta, pero holguéme en parte: tanto pueden los vicios en los padres, que
consuelan de sus desgracias, por grandes que sean, a los hijos.
Fuíme corriendo a don Diego, que estaba leyendo la carta de su
padre, en que le mandaba que se fuese y no me llevase en su compañía, movido de las travesuras mías que había oído decir.
Díjome cómo se determinaba de ir, y todo lo que le mandaba su
padre; a él le pesaba de dejarme. Díjome que me acomodaría con
otro caballero amigo suyo. Yo riyéndome, le dije: "Señor, ya
yo soy otro, y otros mis pensamientos, más alto pico y más autoridad me importa tener, porque si hasta ahora tenía, como cada
cual, mi piedra en el rollo, ahora tengo mi padre." Declaréle cómo

había muerto tan honradamente como el más estirado; cómo le trincharon y le hicieron moneda; cómo me había escrito mi señor tío, el verdugo, desto y de la prisioncilla de mama; que a él, como quien sabía quién yo era, me podía descubrir sin vergüenza. Lastimóse mucho; preguntóme que qué pensaba hacer; dile cuenta de mis determinaciones. Y con tanto, él al otro día fué a Segovia harto triste, y yo me quedé en la casa disimulando mi desventura. Quemé la carta, porque, perdiéndoseme, acaso la leyese alguno, y comencé a disponer mi partida para Segovia con fin de cobrar mi hacienda y conocer mis parientes, para huir de ellos.

CAPITULO VIII

Llegó el día de apartarme de la mejor vida que hallo haber pasado. Dios sabe lo que sentí el dejar tantos amigos y apasionados, que eran sin número. Vendí lo poco que tenía, para el camino, y con ayuda de unos embustes, hice hasta seiscientos reales. Alquilé una mula; salíme de la posada, adonde ya no tenía más que sacar de mi sombra. ¿A quién contaré las angustias del zapatero por lo que dió fiado, las solicitudes de la ama por el salario, las voces del huésped de la casa por el arrendamiento? Uno decía: "Siempre me lo dió el corazón." Otro: "Bien decía yo que éste era un trapacista." Al fin, yo salí tan bienquisto del pueblo, que dejé con mi ausencia la mitad dél llorando, y la otra mitad riyéndose de los que lloraban.

Yo me iba entreteniendo por el camino, considerando en estas cosas, cuando, en pasando Torote, encontré con un hombre en un macho de albarda, hablando entre sí con gran priesa, y tan embebecido, que aun estando a su lado, no me veía. Saludéle y saludóme. Preguntéle dónde iba, y después que nos pagamos las respuestas, comenzamos a tratar de si bajaba el turco y de las fuerzas del rey; comenzó a decir de qué manera se podía conquistar la Tierra Santa, y cómo se ganaría Argel; en los cuales discursos eché de ver que era loco república y de gobierno. Proseguimos en la conversación propia de pícaros; vinimos a dar, de una cosa en otra, en Flandes. Aquí comenzó a suspirar y a decir: "Más me cuentan a mí estos estados que al rey, porque ha catorce años que ando en un arbitrio que, si como es imposible, no lo fuera, estuviera todo sosegado."

—"¿Qué cosa puede ser —le dije yo— que, conviniendo tanto, sea imposible y no se pueda hacer?"

—"¿Quién le dice a vuesa merced que no se puede hacer? —dijo luego—; hacer se puede, que ser imposible es otra cosa. Y si no fuera por dar pesadumbre, le contara a vuesa merced lo que es; pero allá se verá, que ahora lo pienso imprimir con otros trabajillos, entre los cuales le doy al rey modo de ganar a Ostende por dos caminos."

Roguéle que me lo dijese, y, al punto, sacando de las faltriqueras un gran papel, mostró pintado el fuerte del enemigo y el nuestro, y dijo:

—"Bien ve vuesa merced que la dificultad de todo está en este pedazo de mar, pues yo le doy orden de chuparle todo con esponja, y quitarle de allí."

Di yo con este desatino una gran risada, y él entonces, mirándome a la cara, dijo:

—"A nadie se lo he dicho que no haya hecho otro tanto; que a todos les da tan gran contento."

—"Ese tengo yo por cierto —le dije— de oír cosa tan nueva y tan bien fundada; pero advierta vuesa merced que ya que chupe el agua que hubiere entonces, tornará luego la mar a echar más."

—"No hará la mar tal cosa, que lo tengo eso muy apurado —me respondió—, y no hay que tratar; fuera de que yo tengo pensada una invención para hundir la mar por aquella parte doce estados."

No le osé replicar de miedo, porque no me dijese que tenía arbitrio para echar el cielo acá abajo. No vi en el mundo mayor orate; decíame que Juanelo no había hecho nada; que él trazaba agora de subir toda el agua de Tajo a Toledo de otra manera más fácil; y sabido lo que era, dijo que por ensalmo. ¡Mire vuesa merced quién tal oyó en el mundo! Y al cabo me dijo: "Yo no lo pienso poner en ejecución, si primero no me da el rey una encomienda, que la puedo tener muy bien, que tengo una ejecutoria muy honrada." Con estas pláticas, llegamos a Torrejón, donde se quedó, que venía a ver una prima suya.

Yo pasé adelante, pereciéndome de risa de los arbitrios en que pasaba el tiempo, cuando, Dios y enhorabuena, vi una mula suelta desde lejos y un hombre junto a ella a pie, que, mirando a un libro, hacía unas rayas que medía con un compás. Daba vueltas y saltos a un lado y a otro, y de rato en rato, poniendo un dedo sobre otro, hacía con ellos mil cosas saltando. Yo confieso que entendí por gran rato —que me paré desde lejos a verlo— que era encantador, y así no me determinaba a pasar. Al fin, llegándome más cerca, sintióme y cerró el libro, y al poner el pie en el estribo, resbalósele y cayó, y al levantarse dijo: "No tomé bien el medio de proporción para hacer la circunferencia al subir." Yo le entendí lo que me dijo, y luego temí lo que era, porque más desatinado hombre no ha nacido de las mujeres. Preguntóme si iba a Madrid por línea recta, o si iba por camino circunflejo. Yo, aunque no lo entendía, le dije que circunflejo. Preguntóme cúya era la espada que llevaba al lado; respondíle que mía, y, mirándola, dijo: "Esos gavilanes habían de ser más largos, para reparar los tajos que se forman sobre el centro de las estocadas." Y empezó una parola tan grande, que me obligó a preguntarle qué materia profesaba. Díjome que él era diestro verdadero, y que lo haría bueno en cualquiera parte. Yo, movido a risa, le dije: "Pues en verdad que por lo que yo vi hacer a vuesa merced endenantes en el campo, que más le tenía por encantador, viendo los círculos."

—"Eso —me dijo— era que se me ofreció una treta por el cuarto círculo por el compás mayor, cautivando la espada, para matar sin confesión al contrario, porque no diga quién lo hizo. Y estaba poniéndolo en términos de matemática."

—"¿Es posible —dije yo— que hay matemática en eso?"

—"No solamente matemática, mas teolugía, filosofía, música y medicina."

—"Esa postrera no lo dudo, pues se trata de matar en esa arte."

—"No os burléis —me dijo—, que ahora aprendo yo la limpiadera contra la espada, haciendo los tajos mayores que comprehenden en sí las aspirales de la espada."

—"No entiendo cosa de las que decís, chica ni grande."

—"Pues este libro las dice —me respondió—, que se llama *Grandezas de la espada,* y es muy bueno y dice milagros. Y, para que lo creáis, en Rejas, que durmiremos esta noche, con dos asadores me veréis hacer maravillas; y no dudéis que cualquiera que leyere en este libro, matará a todos los que quisiere; compúsolo un gran sabio, y aún estoy por decir más."

En estas pláticas llegamos a Rejas; apeámonos en una posada, y, al apearnos, me advirtió con grandes voces que hiciese un an-

gulo obtuso con las piernas, y que, reduciéndolas a líneas paralelas, me pusiese perpendicular en el suelo. El huésped que me
oyó reír, y le oyó, preguntóme que si era indio aquel caballero,
que hablaba de aquella suerte. Pensé con esto perder el juicio; y
llegóse luego al huésped, y díjole: "Señor, déme dos asadores para
dos o tres ángulos, que luego se los volveré."

—¡Jesús! —dijo el huésped—, déme vuesa merced acá los
ángulos, que mi mujer los asará, aunque aves son que no las he
oído nombrar."

—"¡Que no son aves! —dijo volviéndose a mí—. Mire vuesa
merced qué cosa es no saber. Déme los asadores, que no los quiero
sino para esgrimir, que quizá le valdrá más lo que me viere hacer
hoy, que cuanto ha ganado en su vida."

En resolución, los asadores estaban ocupados, y tomamos dos
cucharones. No se ha visto cosa tan digna de risa en el mundo.
Daba un salto y decía: "Con este compás alcanzo más, y alcanzo los grados del perfil; ahora me aprovecho del movimiento
remiso para matar el natural; ésta había de ser cuchillada, y
ésta tajo." No llegaba a mí desde una legua, y andaba alrededor
con el cucharón; y como yo me estaba quedo, parecían tretas contra olla que se sale. Díjome: "Al fin, esto es lo verdadero, y no las
bellaquerías que enseñan estos picarones maestros de esgrima, que
no saben sino beber."

No lo había acabado de decir, cuando de un aposento salió
un mulatazo mostrando las presas, con un sombrero enjerto en qui-
tasol, y un coleto de ante, debajo de una ropilla suelta y llena de
cintas, zambo de piernas a lo águila imperial; la cara con un *per
signum crucis de inimicis suis;* la barba, de ganchos, con unos
bigotes de guardamano, y una daga con más rejas que un locutorio de monjas; y mirando al suelo, dijo: "Yo soy examinado y
traigo la carta; y por el sol que calienta los panes, que haga tajadas a quien dijere mal de tanto buen hijo como profesa la destreza." Yo, que vi la ocasión, metíme en medio, y dije que no
hablaba con él, y que así no tenía por qué picarse. "Meta mano
a la blanca —dijo— si la trae, y apuremos cuál es la verdadera
destreza, y déjese de cucharones." El pobre de mi compañero abrió
el libro, y dijo a altas voces: "Este libro lo dice, y está impreso
con licencia del rey, y yo sustentaré que es verdad lo que dice,
con el cucharón y sin el cucharón, aquí y en otra parte; y si no,

midámoslo." Y sacó el compás. Y empezó a decir: "Este ángulo
es obtuso." Entonces el maestro sacó la daga y dijo: "Yo no sé
quién es Angulo ni Obtuso, ni en mi vida oí decir tales hombres;
pero con ésta en la mano le haré yo pedazos." Acometió al pobre
diablo, y empezóle a herir; y daba saltos por la casa diciendo:
"No me puede dar, que le he ganado los grados del perfil." Metímoslos en paz el huésped y yo y otra gente que había, aunque
de risa no me podía mover.

Metieron al buen hombre en su aposento, y a mí con l. Cenamos, y acostámonos todos los de la casa; y a las dos de la
mañana levantóse en camisa, y empezó a andar a escuras por
el aposento, dando saltos y diciendo en lengua matemática mil
disparates. Despertóme a mí; y, no contento con esto, bajó al
huésped diciendo que le diese luz, porque había hallado objeto
fijo a la estocada sagita por la cuerda. El huésped se daba a los
diablos de que lo despertase; y tanto le molestó, que le llamó
loco, y con esto se subió a mi aposento, y me dijo que si me
quería levantar, vería la treta tan famosa que había hallado contra el turco y sus alfanjes; y decía que luego se la quería ir a
enseñar al rey, por ser en favor de la fe católica. En esto amaneció; vestímonos todos; pagamos la posada. Hicímoslos amigos
a él y al maestro, el cual se apartó diciendo que el libro que llevaba
mi compañero era bueno; pero que hacía más locos que diestros,
porque los más no lo entendían.

CAPITULO IX

Yo tomé mi camino para Madrid, y él se despidió de mí por ir diferente jornada. Y ya que estaba apartado, volvió con gran priesa; y llamándome a voces, estando en el campo, donde no nos oía nadie, me dijo al oído: "Suplico a vuesa merced no diga nada de todos los altísimos secretos que le he comunicado en materia de destreza, y guárdelo para sí, pues tiene buen entendimiento." Yo le prometí hacerlo; tornóse a apartar de mí, y yo empecéme a reír del secreto tan gracioso.

Con esto caminé más de una legua que no topé persona. Iba yo pensando en las muchas dificultades que tenía para profesar honra y virtud, pues había menester tapar primero la poca de mis padres; y luego tener tanta, que me desconociesen por ella; y parecíanme a mí tan bien estos pensamientos honrados, que yo me los agradecía a mí mismo. Decía a solas: "Más se me ha de agradecer a mí, que no he tenido de quién aprender virtud, ni á quién parecer en ella, que al que la heredó de sus abuelos."

En estas razones y discursos iba, cuando topé un clérigo muy viejo en una mula, que iba camino de Madrid. Trabamos plática, y luego me preguntó que de dónde venía. Yo le dije que de Alcalá. "Maldiga Dios —dijo él— tan mala gente como hay en ese pueblo, pues falta entre todos un hombre de discurso." Preguntéle cómo o por qué se podía decir tal del lugar donde asistían tantos y tan doctos varones; y él muy enojado, me dijo: "¿Doctos? Yo le diré a vuesa merced que tan doctos, que habiendo más de catorce años que hago yo en Majalahonda —donde he sido sacristán—, las chanzonetas al Corpus y al Nacimiento, no me premiaron en el cartel unos cantarcitos; y por que vea vuesa merced la sinrazón, se los he de leer, que yo sé que se holgará." Y,

diciendo y haciendo, desenvainó una retahila de coplas pestilen-
ciales; y por la primera, que era ésta, se conocerán las demás:

> Pastores, ¿no es lindo chiste,
> que es hoy el señor san Corpus Christe?
> Hoy es el día de las danzas
> donde el Cordero sin mancilla
> tanto se humilla,
> que visita nuestras panzas,
> y entre estas bienaventuranzas
> entra en el humano buche.
> Suene el lindo sacabuche,
> pues nuestro bien consiste.
> Pastores, ¿no es lindo chiste, etc.

—"¿Qué pudiera decir más —me dijo— el mismo inventor de
los chistes? Mire qué misterios encierra aquella palabra *pastores;*
más me costó de un mes de estudio."

Yo no pude tener con esto la risa, que a borbotones se me
salía por los ojos y narices; y dando una gran carcajada, dije:
"¡Cosa admirable!, pero sólo reparo en que llama vuesa merced
señor san Corpus Christe, y Corpus Christi no es santo, sino el
día de la institución del Sacramento."

—"¡Oh qué lindo es eso! —me respondió haciendo burla—.
Yo le daré en el calendario, que está canonizado." Y apostaba
a ello la cabeza.

No pude porfiar, perdido de risa de ver la suma ignorancia;
antes le dije cierto que eran dignas de cualquier premio, y que
no había visto cosa tan graciosa en mi vida. Dijo al mismo punto:
"¡Pues oiga vuesa merced un pedacillo del librito que tengo hecho
a las once mil vírgenes, y a cada una tengo hechas cincuenta
octavas, cosa rica."

Yo, por escusarme de oír tanto millón de octavas, le supliqué
que no me dijese cosa a lo divino; y así me empezó a recitar una
comedia que tenía más jornadas que el camino de Jerusalén.
Decíame: "Hícela en dos días, y éste es el borrador", y sería
hasta cinco manos de papel. El título era *El arca de Noé.* Hacíase
toda entre gallos, ratones, jumentos, raposas, lobos y jabalíes,
como fábulas de Isopo. Yo le alabé la traza y la invención, a lo
cual me respondió: "Ello cosa mía es, pero no se ha hecho otra

tal en el mundo, y la novedad es más que todo; y si no, salgan a
representarla; será cosa muy famosa."

—"¿Cómo se podrá representar —le dije yo—, si han de entrar los mismos animales, y ellos no hablan?"

—"Esa es la dificultad, que, a no haber ésa, ¿había cosa
más alta? Pero yo tengo pensado de hacerla toda de papagayos
y tordos, que hablan, y meter para el entremés monas."

—"Por cierto, alta cosa es ésa" —le dije.

—"Otras más altas he hecho yo —dijo— por una mujer a,
quien amo, y vea aquí vuesa merced novecientos y un sonetos y
doce redondillas (que parecía que contaba escudos por maravedís) hechos a las piernas de mi dama."

Yo le dije que si se las había él visto, y díjome que no había
hecho tal por las órdenes que tenía; pero que iban en profecía
los sonetos. Yo confieso la verdad, que aunque me holgaba de
oírle, tuve miedo a tantos versos malos, y así, comencé a echar
la plática a otras cosas. Decíale que veía liebres, y él saltaba: "Pues
comenzaré por uno en que la comparo a ese animal". Empezaba,
y yo por divertirle, decía: "¿No ve vuesa merced aquellas estrellas que se ven de día?" El me dijo: "En acabando éste, le diré
el soneto treinta y tres, en que la llamo estrella, que no parece
sino que sabe los intentos de ellos." Aflígíme tanto de ver que no
podía nombrar cosa en que él no hubiese hecho algún disparate,
que cuando vi que llegábamos a Madrid, no cabía de contento,
entendiendo que de vergüenza callaría; pero fué al revés, que por
mostrar que era poeta, alzó la voz en entrando por la calle. Yo
le supliqué que lo dejase, poniéndole por delante que si los
muchachos le olían poeta, no quedaría troncho que no se viniese por sus pies tras nosotros, por estar declarados por locos
en una premática que había salido contra ellos, de uno que lo
fué y se recogió a buen vivir. Pidióme que se la leyese si la
tenía, muy congojado. Prometí de hacerlo en la posada. Fuimos
a una, donde él se acostumbraba a apear, y hallamos a la puerta
más de doce ciegos; unos le conocieron por el olor, y otros por
la voz; diéronle una barahúnda de bienvenido. Abrazólos a todos,
y luego comenzaron a pedir unos la oración para el Justo Juez
en verso grave y sonoro, tal que provocase a gestos; otros pidieron
de las Animas, y por aquí discurrió, rescibiendo ocho reales de

señal de cada uno. Despidiólos; díjome: "Más me han de valer de trecientos reales los ciegos; y así, con licencia de vuesa merced, me recogeré agora un poco para hacer alguna de ellas, y en acabando de comer, oiremos la premática." ¡Oh vida miserable! Que ninguna lo es más que la de los locos que ganan de comer con los que lo son.

CAPITULO X

Recogióse un rato a estudiar herejías y necedades para los
ciegos. Entretanto se hizo hora de comer; comimos, y luego pidióme le leyese la premática. Yo, por no haber otra cosa que hacer,
la saqué y se la leí; la cual pongo aquí, por haberme parecido
conveniente a lo que se quiso reprehender en ella, que decía así:

> *Premática del desengaño contra los poetas*
> *güeros, chirles y hebenes*

Dióle al sacristán la mayor risa del mundo, y dijo: "¡Hablara
yo para mañana! Por Dios que entendí que hablaba conmigo,
y es sólo contra los poetas hebenes". Cayóme a mí muy en
gracia oírle decir esto, como si él fuera muy albillo o moscatel.
Dejé el prólogo, y comencé por el primer capítulo, que decía:
"Ateniendo a que este género de sabandijas que llaman poetas son nuestros prójimos y cristianos, aunque malos; viendo
que todo el año adoran cejas y dientes, listones, cabellos y zapa-
tillas, haciendo otros pecados más enormes; —mandamos que la
Semana Santa recojan a los poetas públicos y cantoneros, como
a malas mujeres, y que los prediquen sacando Cristos para con-
vertirlos. Y para esto señalamos casa de arrepentidos.
"Ítem advirtiendo los grandes bochornos que hay en las ca-
niculares y nunca anochecidas coplas de los poetas de sol —como
pasas a fuerza de los soles y estrellas que gastan en hacerlas—,
les ponemos perpetuo silencio en las cosas del cielo, señalando
meses vedados a las musas, como a la caza y pesca, por que no
se agoten con la priesa que las dan.

"Ítem, habiendo considerado que esta secta infernal de hombres condenados a perpetuo concepto, despedazadores de vocablos y volteadores de razones, han pegado el dicho achaque de poesía a las mujeres, declaramos que nos tenemos por desquitados con este mal que les han hecho, del que nos hicieron en Adan. Y por cuanto el siglo está pobre y necesitado de oro y plata, mandamos quemar las coplas a los poetas, como franjas viejas, para sacar oro y plata, pues en los más versos hacen sus damas de todos metales como estatuas de Nabuco". Aquí no lo pudo sufrir el sacristán, y levantándose en pie, dijo: "¡Mas no, sino quitarnos las haciendas! No pase vuesa merced adelante, que sobre eso pienso ir al Papa, y gastar lo que tengo. Bueno es que yo, que soy eclesiástico, había de padecer ese agravio. Yo probaré que las coplas del poeta clérigo no están sujetas a tal premática, y luego lo quiero ir a averiguar ante la justicia". En parte me dió gana de reír; pero por no detenerme —que se hacía tarde—, le dije: "Señor, esta premática es hecha por gracia, que no tiene fuerza ni apremia, por estar falta de autoridad". "¡Pecador de mí! —dijo muy alborotado—. Avisárame vuesa merced, y hubiérame ahorrado la mayor pesadumbre del mundo. ¿Sabe vuesa merced qué es hallarse un hombre con ochocientas mil coplas, y oír eso? Prosiga vuesa merced, y Dios le perdone el susto que me dió". Y proseguí, diciendo:

"Ítem, advertimos que la mitad de lo que dicen lo deben a la pila del agua bendita, por mentirosos; y que sólo dicen verdad, cuando dicen mal unos de otros.

"Ítem, habiendo advertido que han remitido todos el juicio al valle de Josafá, mandamos que anden señalados en la república, y que a los furiosos los aten, concediéndoles los privilegios de los locos, para que en cualquier travesura, llamándose a poetas, como prueben que lo son, no sólo no los castiguen por lo que hicieren, sino les agradezcan el no haber hecho más".

"Ítem, advirtiendo que después que dejaron de ser moros —aunque todavía conservan reliquias de ello— se han metido a pastores, por lo cual andan los ganados flacos, de beber sus lágrimas, y chamuscados del fuego de sus amores, y tan embebecidos en su música, que no pacen, mandamos que dejen el tal oficio, señalando ermitas a los amigos de soledad, y a los demás

—por ser oficio alegre y de pullas—, se acomoden en mozos de mulas".

—"Algún puto, bujarrón, cornudo y judío (dijo en altas voces), ordenó tal cosa, y si supiera quién era, yo le hiciera una sátira con tales coplas que le pesara a él y a todos. ¡Miren qué bien le estuviera a un hombre lampiño como yo una ermita, o a un hombre vinojeroso y sacristando ser mozo de mulas! Ea, señor, que son grandes pesadumbres esas".

—"Ya le he dicho a vuesa merced —repliqué— que son burlas, y que las tome como tales". Proseguí diciendo:

—"Ítem, por evitar los grandes hurtos, mandamos que no se pasen coplas de Italia a España, ni de Aragón a Castilla, pena de andar bien vestido el poeta; y si reincidiere, de andar limpio una hora". Esto le cayó muy en gracia, porque traía una sotana con canas, de puro vieja; y con tantas cazcarrias, que para enterrarle no era menester más que estregárselas encima; pues el manteo, bien se podían estercolar con él dos heredades.

Y así, medio riyéndome, le dije que los mandaban "tener entre los desesperados que se ahorcan y despeñan (y que como a tales mandaban que no enterrasen en sagrado), a las mujeres que se enamoran de poeta a secas.

"Ítem, advirtiendo la gran cosecha de redondillas, canciones y sonetos que había habido en estos años fértiles de coplas, se manda que los legajos, que por deméritos escapasen de las especierías, fuesen a las necesarias sin apelación". Y por acabar, llegué al postrer capítulo, que dice así:

"Pero advirtiendo con ojos de piedad, que hay tres géneros de gente en la república tan sumamente miserables que no pueden vivir sin los poetas, como son ciegos, farsantes y sacristanes, mandamos que pueda haber algunos oficiales públicos deste arte, con tal que tengan carta de examen del cacique de los poetas que fuere en aquella parte; limitando a los poetas de comedias que no acaben los entremeses con palos ni con diablos, ni las comedias en casamiento, ni hagan las trazas con papeles y bandos; y a los de ciegos que no sucedan los casos en Tetuán, y que para decir *la presente obra* no digan *zozobra,* desterrándoles estos vocablos: *cristiano amado, humanal* y *pundonores;* y a los de sacristanes, que no hagan los villancicos con *Gil* ni *Pascual,* ni jueguen del vocablo ni hagan los pensamientos de tornillo que mudándoles el nombre, se vuelven a cada fiesta.

"Y finalmente, mandamos a todos los poetas en común que se descarten de Jupiter, Venus, Apolo y otros dioses, so pena de que los tendrán por abogados a la hora de su muerte."

A todos cuantos oyeron la premática les pareció muy bien; y me pidieron traslado de ella; sólo el sacristán empezó a jurar por vida de las vísperas solemnes, *introibo* y *kiries,* que era sátira contra él, por lo que decía de los ciegos, y que él sabía lo que había de hacer mejor que nadie. Y últimamente dijo: "Hombre soy yo que he estado en una posada con Liñán, y he comido más de dos veces con Espinel"; y que había estado en Madrid tan cerca de Lope de Vega como lo estaba de mí, y que había visitado a don Alonso de Ercilla mil veces, y que tenía en su casa un retrato del *divino Figueroa,* y que había comprado los gregüescos que dejó Padilla cuando se metió fraile, y que todavía los traía, aunque malos. Enseñólos, y dióles esto a todos tanta risa, que no querían salir de la posada.

Al fin, ya eran las dos, y como era forzoso el camino, salimos de Madrid. Yo me despedí de él, aunque me pesaba, y comencé a caminar para el puerto. Quiso Dios que, porque no fuese pensando en mal, me topase con un soldado; luego trabamos plática; preguntóme si venía de la corte: dije que de paso había estado en ella.

—"No está para más —me dijo luego—, y más quiero, ¡voto a Cristo!, estar en un sitio la nieve hasta la cinta, hecho un reloj, comiendo madera, que sufriendo las supercherías que en la corte se hacen a un hombre de bien".

Díjele que en la corte había de todo, y que estimaban mucho a cualquiera hombre de bien y de suerte.

—"¡Que estiman —me dijo muy enojado—, si he estado yo ahí seis meses pretendiendo una bandera, tras veinte años de servicios y haber perdido mi sangre en servicio del rey, como lo dicen estas heridas!"

Y enseñóme en una ingle una cuchillada de a palmo, que así era de incordio como el sol es claro. Luego, en los carcañales, me enseñó otras dos señales, y dijo que eran balas; y yo saqué, por otras dos mías que tengo, que habían sido sabañones. Quitóse el sombrero, enseñóme el rostro: calzaba diez y seis puntos

de cara, que tantos tenía en una cuchillada que le partía las narices. Tenía otros tres chirlos, que se la volvían mapa a puras
líneas.

—"Éstas me dieron —dijo— defendiendo a París en servicio de Dios y del rey, por quien veo trinchado mi gesto; y no
he recibido sino buenas palabras, que agora tienen en lugar de
malas obras. Lea estos papeles —me dijo—, por vida del licenciado, que no ha salido a campaña, ¡voto a Cristo!, hombre,
¡vive Dios!, tan señalado".

Y decía verdad, porque lo estaba a puros golpes. Comenzó a
sacar cañones de hoja de lata, y a enseñarme papeles, que debían
de ser de otro a quien había tomado el nombre. Yo los leí, y
dije mil cosas en su alabanza, y que el Cid ni Bernardo no habían hecho lo que él. Saltó en esto y dijo:

—"¿Cómo lo que yo, voto a Dios?; ni lo que García de
Paredes, Julián Romero y otros hombres de bien. ¡Pese al diablo! Sé que entonces no había artillería. Voto a Dios, que no
hubiera Bernardo para una hora en este tiempo. Pregunte vuesa merced en Flandes por las hazañas del Mellado, y verá lo
que le dicen".

—"¿Es vuesa merced acaso?" —dije yo.

Y él respondió: "¿Pues qué otro? ¿No me ve la mella que
tengo en los dientes? No tratemos desto, que parece mal ala-
barse el hombre".

Yendo en estas conversaciones, topamos, en un borrico, un
ermitaño con una barba tan larga, que hacía lodos con ella,
maciento y vestido de paño pardo. Saludónos con el *Deo gratias*
acostumbrado, y comenzó a alabar los trigos, y en ellos la misericordia del Señor. Saltó el soldado diciendo: "¡Ah, padre!
Más espesas he visto yo las picas sobre mí; y, ¡voto a Cristo!
que hice en el saco de Amberes lo que pude; sí, ¡juro a Dios!"
El ermitaño le reprehendió que no jurase tanto, a lo cual dijo:
"Padre, bien se echa de ver que no es soldado, pues que me
reprehende mi propio oficio". Dióme a mí gran risa de ver
en lo que ponía la soldadesca; y eché de ver que era algún picarón gallina, porque ya entre soldados no hay costumbre más
aborrecida de los de más importancia, cuando no de todos. Llegamos a la falda del puerto, el ermitaño rezando el rosario en
una carga de leña; echaba las cuentas de manera, que a cada

avemaría sonaba un cabe; el soldado iba comparando las peñas
a los castillos que había visto, y mirando cuál lugar era fuerte y
adónde se había de plantar la artillería.

Yo los iba mirando, que temía tanto el rosario del ermitaño
con las cuentas frisonas, como las mentiras del soldado.

—"¡Oh, cómo volaría yo con pólvora gran parte de este
puerto —decía—, y hiciera buena obra a los caminantes!"

En estas y otras conversaciones llegamos a Cerecedilla. Entramos en la posada todos tres juntos ya anochecido; mandamos
adrezar la cena (era viernes); y, entretanto, el ermitaño dijo:
"Entretengámonos un rato, que la ociosidad es madre de los vicios; juguemos avemarías"; y dejó caer de la manga el desen-
cuadernado. Dióme a mí gran risa el ver aquello, considerando
las cuentas. El soldado dijo: "No, sino juguemos hasta cien reales
que yo traigo, en amistad". Yo, cudicioso, dije que jugaría otros
tantos, y el ermitaño, por no hacer mal tercio, aceptó, y dijo que
allí llevaba el aceite de las lámparas, que serían hasta doscientos
reales. Yo confieso que pensé ser su lechuza; pero así le sucedan todos sus intentos al turco. Fué el juego al parar; y lo bueno fué que dijo que no sabía el juego, y hizo que se lo enseñáse-
mos. Dejónos el bienaventurado hacer dos manos, y luego nos
la dió tal, que no dejó blanca en la mesa. Heredónos en vida;
retiraba el ladrón con las ancas de la mano, que era lástima:
perdía una sencilla, y acertaba doce maliciosas. El soldado echaba a cada suerte doce "votos" y otros tantos "peses", aforrados
en "por vidas". Yo me comí las uñas, y el fraile ocupaba las
suyas con mi moneda. No dejaba santo que no llamaba, y nuestras cartas eran como el Mesías, que nunca venían y las aguar-
dábamos siempre. Acabó de pelarnos; quisímosle jugar sobre
prendas; y él —tras haberme a mí ganado seiscientos reales,
que era lo que llevaba, y al soldado los ciento— dijo que aquello era entretenimiento, y que eran sus prójimos, y que no había
que tratar de otra cosa.

—"No juren —nos decía—; que a mí porque me encomen-
daba a Dios, me ha sucedido bien". Y como nosotros no sabía-
mos la habilidad que tenía de los dedos a la muñeca, creímoslo;
y el soldado juró de no jurar más, y yo de la misma suerte.

—"¡Pese a tal! —decía el pobre alférez (que él me dijo entonces que lo era)—, entre luteranos y moros me he visto; pero no he padecido tal despojo".

Él se reía. Tornó a sacar el rosario para rezar. Yo, que no tenía ya blanca, pedíle que me diese de cenar, y que pagase hasta Segovia la posada, porque los dos íbamos *in púribus*. Prometió hacerlo. Metió setenta huevos; no he visto tal en mi vida. Dijo que se iba a acostar: durmímonos todos en una sala, con otra gente que estaba allí, porque los aposentos estaban tomados para otros. Yo me acosté con harta tristeza, y el soldado llamó al huésped, y le encomendó sus papeles en las cajas de lata, y un envoltorio de camisas jubiladas. Acostámonos; el padre se persinó, nosotros nos santiguamos dél. Él durmió; yo estuve desvelado, trazando cómo quitar el dinero al padre. El soldado entre sueños hablaba de los cien reales, como si no estuvieran sin remedio.

Hízose hora de levantar; pedí yo luz muy apriesa; trajéronla, y el huésped el envoltorio al soldado, y olvidáronsele los papeles. El pobre alférez hundió la casa a gritos, pidiendo que le diese los servicios. El huésped se turbó; y como todos decíamos que se los diese, fué corriendo y trajo tres bacines y dijo: "Vé ahí para cada uno el suyo; ¿quieren más servicios?"; que él entendió que nos habían dado cámaras. Aquí fué ella, que se levantó el soldado con la espada contra el huésped, en camisa, jurando que le había de matar porque hacía burla dél, que se había hallado en la Naval, San Quintín y otras, trayéndole servicios en lugar de los papeles que le había dado. Todos salimos tras él a tenerle, y no podíamos. El huésped decía: "Señor, su merced pidió servicios; yo no estoy obligado a saber que en lengua soldadesca se llamen así los papeles de las hazañas". Apaciguámoslos, y tornamos al aposento. El ermitaño, receloso, se quedó en la cama, diciendo que le había hecho mal el susto. Pagó por nosotros, y salimos del pueblo para el puerto, enfadados del término del ermitaño, y de ver que no habíamos podido quitarle el dinero.

Topamos con un genovés —digo con uno destos antecristos de las monedas de España— que subía el puerto con un paje detrás, y él con su guardasol, muy a lo dineroso. Trabamos conversación con él; todo lo llevaba a materia de maravedís, que es gente que naturalmente nació para bolsas. Comenzó a nom

brar a Visanzón, y si era bien dar dineros o no a Visanzón; tanto
que el soldado y yo le preguntamos que quién era aquel caballero; a lo cual respondió riyéndose: "Es un pueblo de Italia
donde se juntan los hombres de negocios (que acá llamamos
fulleros de pluma), a poner los precios por donde se gobierna
la moneda"; de lo cual sacamos que en Visanzón se llevaba el
compás a los músicos de uña. Entretúvonos por el camino; con-
tónos que estaba perdido porque había quebrado un cambio que
le tenía más de sesenta mil ducados; y todo lo juraba por su conciencia, aunque yo confieso que conciencia en mercader es como
virgo en puta, que se vende sin haberle. Casi nadie tiene conciencia de todos los de este trato, porque como oyen decir que
muerde por muy poco, han dado en dejarla con el ombligo en
naciendo.

En estas pláticas vimos los muros de Segovia, y a mí se me
alegraron los ojos, a pesar de la memoria que, con los sucesos de
Cabra, me contradecía el contento. Llegué al pueblo, y a la entrada vi a mi padre en el camino, aguardando a ir en bolsas, hecho cuartos, a Josafá. Enternecíme, y entré algo desconocido
de como salí, con punta de barba, bien vestido. Dejé la compañía;
y considerando en quién conocía a mi tío (fuera del rollo) mejor
en el pueblo, no hallé a nadie de quien echar mano. Lleguéme
a mucha gente a preguntar por Alonso Ramplón, y nadie me
supo dar razón dél, diciendo que no le conocían. Holguéme mucho de ver tantos hombres de bien en mi pueblo, cuando, estando en esto, oí al precursor de la penca hacer de garganta, y a
mi tío de las suyas. Venía una procesión de desnudos, todos
descaperuzados, delante de mi tío; y él, muy haciéndose de pen-
cas, con una en la mano, tocando un pasacalles públicas en las
costillas de cinco laúdes, sino que llevaban sogas por cuerdas.
Yo, que estaba notando esto con un hombre (a quien había dicho, preguntando por él, que era yo un gran caballero), veo a
mi buen tío; que poniendo en mí los ojos, arremetió a abrazarme,
llamándome sobrino. Penséme morir de vergüenza; no volví a
despedirme de aquél con quien estaba. Fuíme con él, y díjome:
"Aquí te podrás ir, mientras cumplo con esta gente; que ya vamos de vuelta, y hoy comerás conmigo". Yo, que me vi a caballo, y que en aquellas cosas parecería punto menos de azotado,

dije que le aguardaría allí; y así, me aparté tan avergonzado, que a no pender la cobranza de mi hacienda, no le hablara más en mi vida, ni pareciera entre gentes.

Acabó de repasarles las espaldas, volvió y llevóme a su casa, donde comimos.

CAPÍTULO XI

Tenía mi buen tío el alojamiento junto al matadero, en casa de un aguador; entramos en ella, y díjome: "No es alcázar la posada, pero yo os prometo, sobrino, que es a propósito para dar expediente a mis negocios". Subimos por una escalera, que sólo aguardé a ver lo que me sucedía en lo alto, por si diferenciaba en algo de la de la horca. Entramos en un aposento bajo, y tan bajo, que íbamos por él como quien recibe bendiciones, con las cabezas muy bajas. Colgó la penca en un clavo que estaba con otros de que colgaban muchos cordeles, lazos, cuchillos, escarpias y otras herramientas del oficio. Díjome que por qué no me quitaba el manteo y me sentaba; yo le dije que no lo tenía de costumbre. Dios sabe cuál estaba yo de ver la infamia de mi tío; el cual me dijo que había tenido ventura en topar con él en tan buena ocasión, por que comería bien, que tenía convidados unos amigos.

En esto entró por la puerta, con una ropa hasta los pies, morada, uno de los que piden para las ánimas, y haciendo son con una cajita, dijo: "Tanto me han valido a mí las ánimas como a ti los azotes; encaja". Hiciéronse la mamona el uno al otro; arremangóse el desalmado animero, y quedó con unas piernas zambas, en gregüescos de lienzo, y empezó a bailar y decir que si había venido Clemente. Dijo mi tío que no, cuando Dios y norabuena, devanado en un trapo y muy sucio, entró un chirimía de la bellota, digo un porquero: conocíle por el —hablando con acatamiento— cuerno que traía en la mano; que para andar al uso, sólo erró en no traerle sobre la cabeza. Saludónos a su manera; y tras él entró un mulato zurdo y bizco, un sombrero con más falda que un monte y más copa que un nogal, la espa-

da con más gavilanes que la caza del rey y un coleto de ante.
Traía la cara de punto, porque a puros chirlos la traía toda
hilvanada. Entró y sentóse; y saludando a los de casa, y a mi
tío, le dijo: "A fe, Alonso, que lo han pagado bien el Romo y
el Gairoso." Saltó el de las ánimas, y dijo: "Cuatro ducados di
yo a Flechilla, el verdugo de Ocaña, porque aguijase el borrico,
y porque no llevase la penca de tres suelas cuando me pal-
mearon".

—"¡Vive Dios! —dijo el corchete— que se lo pagué yo sobrado a Lobuzno en Murcia; mas iba el borrico de manera que
parecía remedaba el paso de la tortuga, y el bellaco me los asen-
tó de manera, que no se levantaron sino ronchas." Y el porquerizo concomiéndose, dijo: "Con virgo tengo mis espaldas".

—"A cada puerco le viene su San Martín" —dijo el demandador. Y mi buen tío: "de eso me puedo alabar yo, entre cuantos manejan la zurriaga, que al que se me encomienda, hago
lo que debo; sesenta me dieron los de hoy, y llevaron unos azotes
de amigo, con penca sencilla."

Yo, que vi cuán honrada gente era la que hablaba con mi
tío, confieso que me puse colorado, de suerte que no pude disimular la vergüenza; echómelo de ver el corchete, y dijo: "¿Es
el padre el que padeció el otro día, a quien se dieron ciertos
empujones en el envés?" Yo dije que no era hombre que padecía. En esto se levantó mi tío, y dijo: "Es mi sobrino, maeso
en Alcalá, gran supuesto". Pidiéronme perdón, y ofreciéronme
toda caricia. Yo rabiaba ya por comer y por cobrar mi hacienda,
y huir de mi tío.

Pusieron la mesa, y por una soguilla en un sombrero (como
suben la limosna los de la cárcel), subieron la comida de un
bodegón que estaba a las espaldas de la casa, en unos mendrugos de platos y retacillos de cántaros y tinajas: no podrá nadie
encarecer mi sentimiento y afrenta. Sentáronse a comer, en cabecera el demandador, los demás sin orden. No quiero decir lo
que comimos, sólo que eran todas cosas para beber. Sorbióse
el corchete tres de puro tinto, brindándome a mí; pero yo agüelo.
El porquero hacía más razones que decíamos todos. No había en
ellos memoria de agua, ni voluntad de ella.

Parecieron en la mesa cinco pasteles de a cuatro; y tomando
un hisopo, después de haber quitado las hojaldres, dijeron un

responso todos, con un *requiem æternam,* por el ánima del difunto cuyas eran aquellas carnes. Dijo mi tío: "Ya os acordáis, sobrino, lo que os escribí de vuestro padre": vínoseme a la memoria. Ellos comieron, pero yo pasé con los suelos solos; quedéme con la costumbre, y ansí, siempre que como pasteles, rezo una avemaría por el que Dios haya.

Dieron fin a dos jarros, que hacían casi cinco azumbres; y así, el corchete y el de las ánimas se pusieron las suyas tales, que trayendo un plato de salchichas, que parecían de dedos de negros, dijo uno que para qué traían pebetes guisados. Ya mi tío estaba tal, que alargando la mano y asiendo una, dijo —con la voz media áspera y ronca, y los ojos nadando en mosto—: "Sobrino, por este pan de Dios, que crió a su imagen y semejanza, que no he comido mejor cosa en mi vida". Yo —que vi al corchete que, alargando la mano, tomó el salero, y dijo: "Caliente está este caldo", y que el porquero se llenó el puño de sal, diciendo: "es bueno el apetitillo para beber", y se lo chocló en la boca—, comencé a reír por una parte, y a rabiar por otra. Trajeron caldo, y el de las ánimas tomó con entrambas manos una escudilla, diciendo: "Dios bendijo la limpieza"; y alzándola para sorberla, por llevarla a la boca, la llevó al carrillo; y volcándola, se puso todo de arriba abajo que era vergüenza; y él, como se vió así, fuése a levantar; y como pesaba algo la cabeza, quiso ahirmar sobre la mesa (que era destas movedizas), trastornóla toda y manchó a los demás; tras esto decía que el porquero le había empujado. El porquero que vió que el otro se le caía encima, levantóse, y alzando el instrumento de hueso, le dió con él una trompetada, y asiéronse a puños; y estando juntos los dos, y teniéndole el demandador mordido de un carrillo, con dos vuelcos y alteración, el porquerizo vomitó cuanto había comido en las barbas del demandador. Mi tío, que estaba más en juicio, decía que quién había traído a su casa tantos clérigos. Yo que los ví, que ya en suma multiplicaban, metí en paz la brega, desasí a los dos, y levanté del suelo al corchete, el cual estaba llorando con gran tristeza. Eché a mi tío en la cama, el cual hizo cortesía a un velador de palo que tenía, pensando que era uno de los convidados. Quité el cuerno al porquerizo, el cual, ya que dormían los otros, no había hacerle callar, diciendo que le diesen su cuerno, porque no había habido jamás quien supiese en él más tonadas; que ie quería poner con el órgano. Al fin, yo no me aparté de ellos hasta que vi que dormían.

Salíme de casa, entretúveme en ver mi tierra toda la tarde, pasé por la casa de Cabra, tuve nueva de que ya era muerto de hambre. Torné a casa a la noche, habiendo pasado cuatro horas, y hallé al uno despierto y que andaba a gatas, buscando la puerta y diciendo que se les había perdido la casa. Levantéle, y los demás durmieron hasta las once de la noche; y desperezándose, mi tío preguntó que qué hora era. Respondió el porquerizo, que aún no la había desollado y aún duraba la siesta, porque hacía grandes bochornos. El demandador, como pudo, dijo que le diesen su cajilla; y tomándola, dijo:

"Mucho han holgado las ánimas para tener a su cargo mi sustento". Y fuese; pero en lugar de ir a la puerta del aposento, se fué a la ventana; y como vió estrellas, comenzó a llamar a los otros con grandes voces, diciendo que el cielo estaba estrellado siendo medio día, y que había un gran eclipse. Santiguáronse todos, y besaron la tierra. Yo, que vi la bellaquería del demandador, escandalicéme mucho, y propuse guardarme de semejantes hombres. Con estas infamias y vilezas que yo veía, crecíame por instantes el deseo de verme entre gente principal y caballeros. Despachélos a todos uno a uno, lo mejor que pude; pero mi tío, aunque no tenía zorra, tenía raposa. Acomodéme lo mejor que pude sobre mis vestidos y sobre algunas ropas de los que Dios tenga en su gloria, que estaban por allí.

Pasamos desta manera la noche, y a la mañana traté con mi tío de reconocer mi hacienda. Despertó diciendo que estaba molido, y que no sabía de qué. El aposento estaba —ya de las enjaguaduras de las monas, ya de las aguas que habían hecho de noche— hecho una pecina. Al fin, en levantándose mi tío, tratamos largo de mis cosas, y tuve harto trabajo, por ser hombre tan gran borracho y rústico. Al fin le reduje a que me diese noticia de parte de mi hacienda —aunque no de toda—, y así me la dió de unos trecientos ducados que mi buen padre había ganado por sus puños y dejados en confianza de una buena mujer, a cuya sombra se hurtaba diez leguas a la redonda. En conclusión, cobré mi dinero, el cual mi tío no había bebido, que fué harto; porque pensaba que con ello me graduaría, y que estudiando podía ser cardenal; que como estaba en su mano hacerlos, no lo tenía por dificultoso. Díjome, en viendo que los tenía: "Hijo Pablos, mucha culpa tendrás si no medras y eres bueno, pues tienes a quien parecerte; dinero llevas, yo no te he de faltar, que cuanto tengo y cuanto sirvo, para ti lo quiero". Agradecíle mucho la oferta; gastamos el día en pláticas desatinadas; y la tarde pasaron en jugar a la taba mi tío y el porquerizo; y el demandador jugaba las misas como si fuera otra cosa. Era de ver cómo se barajaban la taba: cogiéndola en el aire al que la echaba, y meciéndola en la muñeca, se la tornaban a dar. Sacaban de la taba como de naipe, para la fábrica de la sed, porque había siempre un jarro en medio. Vino la noche ellos se fueron; acostámonos mi tío y yo, cada uno en su cama, que ya había prevenido para mí un colchón. Amaneció, y antes que él despertase, me levanté y me fuí a una posada sin que me sintiese; torné a cerrar la puerta por defuera, y eché la llave por una gatera, y fuíme a un mesón a esconder y aguardar comodidad para ir a la corte. Dejéle en el aposento una carta cerrada, que contenía mi ida y las causas, avisándole que no me buscase, porque eternamente no me había de ver.

CAPÍTULO XII

Partía aquella mañana un arriero del meson con cargas a la corte; llevaba un jumento, alquilómele, y salí a aguardarle a la puerta fuera del lugar; salió, espetéme en él, y empecé mi jornada. Iba entre mí diciendo: "Allá quedarás, bellaco, deshonra buenos, jinete de gaznates".

Consideraba yo que iba a la corte, donde nadie me conocía —que era la cosa que más me consolaba—, y que había de valerme por mi habilidad allá. Propuse de colgar los hábitos en llegando, y de sacar vestidos cortos al uso. Pero volvamos a las cosas que el dicho mi tío hacía, ofendido con la carta, que decía así:

"Señor Alonso Ramplón: Con haberme Dios hecho tan señaladas mercedes —de quitarme de delante a mi buen padre y tener a mi madre en Toledo, donde, por lo menos, sé que hará humo—, no me faltaba sino ver hacer en vuesa merced lo que en otros hace. Yo pretendo ser uno de mi linaje, que dos es imposible, si no es que vengo a manos de vuesa merced, y trinchándome, como hace a otros. No pregunte por mí, ni me nombre, porque me importa negar la sangre. Sirva a Dios y al rey".

No hay que encarecer las blasfemias y oprobios que diría contra mí. Volvamos a mi camino. Yo iba espetado en el rucio de la Mancha, y muy deseoso de no topar a nadie, cuando desde lejos veo venir un hidalgo de portante, y su espada y capa bien puesta, calzas atacadas, sus botas, cuello abierto y bien puesto; el sombrero de lado. Sospeché que era algún caballero que dejaba atrás su coche; y así, en enparejando, le saludé. Miróme y dijo:

—Irá vuesa merced, señor licenciado, en ese borrico con harto más descanso que yo con todo mi aparato.

Yo, que entendí que lo decía por coche y criados que dejaba atrás, dije:

—En verdad, señor, que lo tengo por más apacible caminar que el del coche; porque —aunque vuesa merced vendrá en el que trae atrás con regalo—, aquellos vuelcos que dan, inquietan.

—¿Qué coche detrás?, dijo él muy alborotado.

Y al volver atrás, como hizo fuerza, se le cayeron las calzas, porque se le rompió una agujeta que traía, la cual era tan sola, que, con verme tan muerto de risa de verle, me pidió una prestada. Yo, que vi que de la camisa no se le veía sino una ceja, y que traía tapado el rostro, de medio ojo, le dije:

—Por Dios, señor, si vuesa merced no aguarda a sus criados, no puedo socorrerle, porque vengo también atacado únicamente.

—Si hace vuesa merced burla —dijo él con las cachondas en la mano—, vaya; porque no entiendo eso de los criados.

—Y declaróseme tanto —en materia de ser pobre—, que me confesó, a media legua que anduvimos, que si no le hacía merced de dejarle subir en el borrico un rato, no le era posible pasar adelante, por ir cansado de caminar con las bragas en los puños. Yo, movido de compasión, me apeé; y él, como no podía soltar las calzas, húbele yo de subir; y espantóme lo que descubrí en el tocamiento, porque por la parte de atrás, que cubría la capa, traía las cuchilladas con entretelas de nalga pura. Él, que sintió lo que había visto, como discreto, se previno diciendo:

—Señor licenciado, no es oro todo lo que reluce; debióle de parecer a vuesa merced, en viendo el cuello abierto y mi presencia, que era el duque de Arcos o el conde de Benavente. Como destas hojaldres cubren en el mundo lo que vuesa merced ha tentado.

Yo le dije que le aseguraba que me había persuadido a muy diferentes cosas de las que veía.

—Pues aún no ha visto nada vuesa merced —replicó—; que hay tanto que ver en mí como tengo, porque nada cubro. Véeme aquí vuesa merced un hidalgo hecho y derecho, de casa y de solar montañés, que, si como sustento la nobleza, me sustentara, no hubiera más que pedir; pero ya, señor licenciado, sin pan ni carne, no se sustenta buena sangre, y por la misericordia de

Dios todos la tienen colorada, y no puede ser hijo de algo el que
no tiene nada. Ya he caído en la cuenta de las ejecutorias, después que hallándome en ayunas un día, no me quisieron dar
sobre ella en un bodegón dos tajadas. ¡Pues decir que no tienen
letras de oro! Pero más vale ya el oro en las píldoras que en las
letras, que de más provecho es; y con todo, hay muy pocas
letras con oro. He vendido hasta mi sepultura por no tener
ni aún en qué caer muerto; que la hacienda de mi padre D. Toribio Rodríguez Vallejo Gómez de Ampuero —que todos estos
sobrenombres tenía— se perdió en una fianza; sólo el don me ha
quedado por vender, y soy tan desgraciado, que no hallo nadie
con necesidad dél, pues quien no le tiene por ante, le tiene por
postre, como el remendón, azadón, blandón, bordón y otros así.

Confieso que, aunque iban mezcladas con risa, las calamidades del dicho hidalgo me enternecieron. Pregunté le cómo se
llamaba, y adónde iba y a qué; dijo que todos los nombres de
su padre: Don Toribio Rodríguez Vallejo Gómez de Ampuero
y Jordán. No se vió jamás nombre tan campanudo, porque acababa en dan y empezaba en don, como son de badajo. Tras esto
dijo que iba a la corte, porque un mayorazgo roído como él,
en un pueblo corto olía mal a dos días, y no se podía sustentar;
y que por eso se iba a la patria común, adonde caben todos, y
adonde hay mesas francas para estómagos aventureros; "nunca
cuando entro en ella me faltan cien reales en la bolsa, cama, de
comer y refocilo de lo vedado, porque la industria en la corte
es piedra filosofal, que vuelve en oro cuanto toca".

Yo vi el cielo abierto, y en son de entretenimiento para el
camino, le rogué que me contase cómo y con quiénes y de qué
manera vivían en la corte los que no tenían, como él; porque me
parecía dificultoso en este tiempo, que no sólo se contenta cada
uno con sus cosas, sino que aun solicita las ajenas.

—Muchos hay de esos —dijo— y muchos destotros: es la
lisonja llave maestra que abre a todas voluntades, en tales pue-
blos. Y porque no se le haga dificultoso lo que digo, oiga mis
sucesos y mis trazas, y se asegurará de su duda.

CAPÍTULO XIII

QUE PROSIGUE SU VIDA Y COSTUMBRES

"Lo primero has de saber que en la corte hay siempre el más recio y el más sabio, y el más rico y el más pobre, y los extremos de todas las cosas; que disimula los malos y esconde los buenos, y que en ella hay unos géneros de gentes (como yo), que no se les conoce raíz ni mueble ni otra cepa de la que decienden los tales. Entre nosotros nos diferenciamos con diferentes nombres: unos nos llamamos caballeros hebenes; otros hueros, chanflones, chirles, traspillados y caninos. Es nuestra abogada la industria; pasamos las más veces los estómagos de vacío, que es gran trabajo traer la comida en manos ajenas. Somos asistencia de los banquetes, polilla de los bodegones y convidados por fuerza; sustentámonos casi del aire, y andamos contentos. Somos gente que comemos un puerro, y representamos un capón. Entrará uno a visitarnos a nuestras casas, y hallará los aposentos llenos de huesos de aves y de carnero, mondaduras de frutas, y la puerta embarazada con pluma de gallinas y capones, y pellejos de gazapos; todo lo cual cogemos de noche por el pueblo, por honrarnos con ello de día. Reñimos, en entrando, el huésped: "¿Es posible que no he de ser yo poderoso para que barra esa moza? Perdone vuesa merced por amor de Dios, que han comido aquí unos amigos, y estos criados son tales..." etcétera. Quien no nos conoce, cree que es ansí, y pasamos por convite.

Pues ¿qué diré del modo de comer en casas ajenas? En hablando a uno media vez, sabemos su casa, y vámosle a ver cuando es hora de comer, y se quiere sentar a la mesa. Decimos que nos llevan sus amores, porque tal entendimiento y tal nobleza no le hay en el mundo. Si nos preguntan si hemos comido, si ellos no han empezado, decimos que no; y si nos convidan, no

aguardamos segundo envite, porque destas aguardadas nos han
sucedido grandes vigilias. Si han comenzado, decimos que sí,
y que parte su merced muy bien el ave, pan o carne, o lo que
fuere; por tomar ocasión de engullir un bocadillo, decimos:
"Ahora deje vuesa merced, que le quiero servir de maestresala;
que solía, Dios le tenga en el cielo... (el duque, marqués o
conde, de tal parte), que era gran señor mío, gustar más de
verme partir que de comer". Diciendo esto, tomamos el cuchillo,
y partimos bocaditos; y al cabo decimos: "¡Oh qué bien huele!
Cierto que haría yo muy grande agravio a la cocinera en no
probarlo: ¡qué buena mano tiene!; ¡qué buena sazón le da!" Y
diciendo y haciendo, se va en pruebas el medio plato; el nabo
porque es nabo, el tocino porque es tocino, y todo por lo que es.
Cuando esto nos falta, ya tenemos sopa de algún convento apla-
zada; no la tomamos en público, sino a lo escondido, haciendo
creer a los frailes que es más devoción que necesidad.

Es de ver uno de nosotros, en una casa de juego, con el
cuidado que sirve y despabila las velas, trae orinales, ayuda a
meter naipes, y solemniza las cosas del que gana, todo por un
triste real de barato.

Tenemos de memoria para lo que toca a vestirnos toda la rope-
ría vieja; y como en otras partes hay hora señalada para oración, la
tenemos nosotros para remendarnos. Es de ver a las mañanas: que
como tenemos por enemigo declarado al sol, por cuanto nos descubre los remiendos, puntadas y trapos, nos ponemos abiertas las piernas a su rayo, y en la sombra del suelo vemos la que hacen los andrajos y las hilachas de las entrepiernas; y con unas tijeras hacemos
la barba a las calzas; y como siempre gastan tanto las entrepiernas,
quitamos cuchilladas de atrás para poblar lo de adelante; y so-
lemos traer la trasera tan pacífica por falta de cuchilladas, que
se queda en las puras bayetas: sábelo sola la capa, y guardá-
monos de días de aire, y de subir por escaleras claras o a caballo. Estudiamos posturas contra la luz, porque en día claro andamos las piernas muy juntas, y hacemos las reverencias con
solos los tobillos, porque si abrimos las rodillas, se descubre el
ventanaje. No hay cosa en todos nuestros cuerpos que no haya
sido otra cosa, y no tenga historia; *verbi gratia:* bien ve vuesa
merced —dijo—, esta ropilla; pues primero fué greguescos, nieta
de una capa y biznieta de un capuz, que fué en su principio; y

agora espera salir para soletas y otras cosas. Los escarpines primero han sido pañizuelos, habiendo sido toallas y camisas, hijas de las sábanas; y después de todo los aprovechamos para papel, y en el papel escribimos; y después hacemos dél polvos para resucitar los zapatos, que de incurables los he visto revivir con semejantes medicamentos. Pues ¿qué diré del modo con que de noche nos apartamos de las luces porque no se vean los ferreruelos calvos, las ropillas lampiñas? Que no hay más pelo en ellas que en un guijarro; que es Dios servido de dárnosle en la barba y quitárnosle en la capa. Y por no gastar con barberos, esperamos a que otro de los nuestros tenga también pelambre, y entonces nos la quitamos el uno al otro, conforme a lo del Evangelio: "Ayudaos como buenos hermanos". Es de ver cómo andan los estómagos en celo.

Estamos obligados a andar a caballo una vez al mes, aunque sea en pollino, por las calles públicas; y obligados a ir en coche una vez en el año, aunque sea en la arquilla o trasera; pero si alguna vez vamos dentro del coche, es de considerar que siempre es al estribo, con todo el pescuezo de fuera, haciendo cortesías a todos por que nos vean, y hablando a los amigos y conocidos aunque miren a otra parte.

Si nos come delante de algunas damas, tenemos traza para rascarnos sin que se vea, aunque sea en público; si es en el muslo, contamos que vimos un soldado atravesado desde tal parte a tal parte, y señalamos con las manos donde nos come, rascándonos en vez de señalar; si es en la iglesia, y nos come en el pecho, dámonos *santos* aunque sea al *introibo;* si en las espaldas, levantámonos y, arrimándonos a una esquina y en son de empinarnos para ver alguna cosa, nos rascamos.

¿Qué diré del mentir? Jamás se halla verdad en nuestra boca; encajamos duques y condes, unos por amigos y otros por deudos, en las conversaciones, y advertimos que los tales señores, o estén muertos o muy lejos. Y lo que más es de notar, que nunca nos enamoramos sino es de *pane lucrando,* que veda la orden damas melindrosas, por lindas que sean; y así, siempre andamos en recuesta con una bodegonera por la comida, con la huéspeda por la posada, con la que abre los cuellos por los que trae el hombre; y aunque comiendo tan poco y viviendo tan mal no se puede cumplir con tantas, por su tanda todas están contentas.

Quien ve estas botas mías, ¿cómo pensará que andan caballeras en las piernas en pelo, sin media ni otra cosa? Y quien viere este cuello, ¿por qué ha de pensar que no tengo camisa? Pues todo esto le puede faltar a un caballero, señor licenciado; pero cuello abierto y almidonado, no; es grande ornato de la persona, y después de haberle vuelto de una parte a otra, es de sustento, porque se cena el hombre el almidón, chupándole con destreza. Y al fin, señor licenciado, un caballero de nosotros ha de tener más faltas que una preñada de nueve meses, y con esto vive en la corte. Y ya se ve en prosperidad y con dineros, y ya en el hospital; pero, al fin, se vive, y el que se sabe bandear es rey, con muy poco que tenga".

Tanto gusté de las extrañas maneras de vivir del hidalgo, y tanto me divertí, que embebecido con ellas y con otras, llegué a pie hasta las Rozas, adonde nos apeamos aquella noche. Cenó conmigo el dicho hidalgo: que no traía blanca, y yo me hallaba obligado a sus avisos, porque con ellos abrí los ojos a muchas cosas, inclinándome a la chirlería. Declaréle mis deseos antes que nos acostásemos: abrazóme mil veces, diciendo que siempre esperó que habían de hacer impresión sus razones en hombre de tan buen entendimiento. Ofrecióme favor para introducirme en la corte con los cofrades de la estafa, y posada en compañía de todos. Acetéla, no declarándole los escudos que llevaba, sino hasta cien reales solos; los cuales bastaron, con la buena obra que le había hecho y hacía, a obligarle a mi amistad.

Compréle tres agujetas de cuero, atacóse, dormimos aquella noche, madrugamos y dimos con nuestros cuerpos en Madrid.

CAPÍTULO XIV

DE LO QUE SUCEDIÓ EN LA CORTE LUEGO
QUE LLEGAMOS HASTA QUE ANOCHECIÓ

Entramos en la corte a las diez de la mañana: fuímonos a apear a casa de los amigos de don Toribio. Llegó a la puerta, y llamó; abrióle una vejezuela muy pobremente abrigada y muy vieja. Preguntó por los amigos, y respondió que habían ido a buscar. Estuvimos solos hasta que dieron las doce, pasando el tiempo, él en animarme a la profesión de la vida barata, y yo en atender a todo. A las doce y media entró por la puerta una estantigua vestida de bayeta hasta los pies, más raída que su vergüenza. Habláronse los dos en germanía, de lo cual resultó darme un abrazo y ofrecérseme. Hablamos un rato, y sacó un guante con diez y seis reales, y una carta, con la cual (diciendo que era licencia para pedir para un pobre) los había allegado; y habiendo vaciado el guante, sacó el otro, y doblólos a usanza de médico. Yo le pregunté que por qué no se los ponía, y dijo que por ser entrambos de una mano, que era treta para tener guantes.

A todo esto noté que no se desarrebozaba, y pregunté (como nuevo), para saber la causa de estar siempre devanado en la capa; a lo cual respondió: "Hijo, tengo en las espaldas una gatera, acompañada de un remiendo de lanilla y de una mancha de aceite; este pedazo de rebozo la cubre, y así se puede andar." Desarrebozóse, y hallé que debajo de la sotana traía gran bulto; yo pensé que eran calzas, porque era a modo de ellas, cuando él, para entrarse a espulgar, se arremangó, y vi que eran dos rodajas de cartón, que traía atadas a la cintura y encajadas en los muslos, de suerte que hacían apariencia debajo del luto, porque el tal no traía camisa ni gregüescos; que apenas tenía que espulgar, según andaba desnudo. Entró al espulgadero, y volvió una

tablilla —como la que ponen en las sacristías— que decía: "Es-
pulgador hay", porque no entrase otro. Grandes gracias di a
Dios, viendo cuánto dió a los hombres en darles industria, ya
que les quitase la riqueza.

—"Yo (dijo mi buen amigo) vengo del camino con mal
de calzas; y así, me habré menester recoger a remendar". Preguntó si había algunos retazos; y la vieja (que recogía trapos
dos días en la semana por las calles, como las que tratan en
papel, para acomodar incurables cosas de los caballeros) dijo
que no, y que por falta de trapos se estaba, quince días había,
en la cama, don 'Lorenzo Íñiguez del Pedroso.

En esto estábamos cuando vino uno con sus botas de camino
y su vestido pardo, con un sombrero prendidas las faldas por
los dos lados: supo mi venida de los demás, y hablóme con mucho afecto. Quitóse la capa, y traía —mire vuesa merced quién
tal pensara— la ropilla, de paño pardo la delantera, y por detrás
de lienzo blanco y los fondos en sudor. No pude tener la risa;
y él con gran disimulación dijo:

"Haráse a las armas, y no se reirá; yo apostaré que no sabe
por qué traigo yo este sombrero con la falda presa arriba".

Yo dije que por galantería y por dar lugar a la vista.

"Antes por estorbarla —dijo—; sepa que es porque no tiene
toquilla, y que así no lo echan de ver". Y diciendo esto, sacó
más de veinte cartas y otros tantos reales, diciendo que no había
podido dar aquéllas. Traía cada una un real de porte, y eran
hechas por él mismo; ponía la firma de quien le parecía; escribía nuevas, que inventaba, a las personas más honradas; y dá-
balas en aquel traje, cobrando los portes; y esto hacía cada
mes: cosa que me encantó de ver la novedad de la vida.

Entraron luego otros dos, el uno con una ropilla de paño,
larga hasta la mitad del calzón, y su capa de lo mismo, levantado
el cuello, por que no se viese al anjeo, que estaba roto. Los
valones eran de chamelote, mas no eran más de lo que se descubría, y lo demás de bayeta colorada. Éste venía dando voces con
el otro, que traía valona y no cuello abierto; y un tahalí con
frascos por no tener capa; y una muleta, con una pierna liada en
trapajos, por no tener más de una calza. Hacíase soldado, y ha-
bíalo sido, pero malo y en partes quietas; contaba estraños ser-

vicios suyos, y a título de soldado entraba en cualquiera parte.
Decía el de la ropilla y casi gregüescos:

"La mitad me debéis por lo menos, o mucha parte; y si no
me la dais, juro a Dios..."

—"No jure a Dios —dijo el otro—, que en llegando a casa
no soy cojo, y os daré con esta muleta mil palos".

No daréis, sí daréis, y en los mentises acostumbrados, arremetió el uno al otro, y asiéndose, se salieron con los pedazos
de los vestidos en las manos a los primeros estirones. Metímoslos
en paz, y preguntamos la causa de la pendencia. Dijo el soldado:

"¿A mí chanzas? No llevaréis ni medio. Han de saber vuesas mercedes que estando hoy en San Salvador, llegó un niño
a este pobrete, y le dijo que si era yo el alférez Juan de Loren-
zana, y le dijo que sí, atento a que le vió no sé qué cosa que
traía en las manos. Llevómelo, y dijo (nombrándome alférez):
"Mire vuesa merced qué le quiere este niño"; yo, que luego
entendí, dije que yo era. Recibí el recado, y con él doce pañizuelos; respondí a su madre, que era quien los inviaba a alguno
de aquel nombre. Pídeme agora la mitad; yo antes me haré pedazos que tal dé; todos los han de romper mis narices".

Juzgóse la causa en su favor, sólo se le contradijo el sonarse
con ellos, mandándose que los entregase a la vieja para honrar la
comunidad, haciendo de ellos unos cuellos y remates de mangas
que se viesen y representasen camisa; que el sonarse estaba vedado en la orden, si no era en el aire; y las mas veces sorbimiento;
cosa de sustancia y ahorro. Quedó esto así.

Era de ver, llegada la noche, cómo nos acostamos en dos
camas, tan juntos, que parecíamos herramienta de estuche. Pasóse la cena de claro en claro; no se desnudaron los más, que
con estarse como andaban de día, cumplieron con el precepto
de dormir en cueros.

CAPÍTULO XV

EN QUE SE PROSIGUE LA MATERIA COMENZADA
Y OTROS RAROS SUCESOS

Amaneció el Señor, y pusímonos todos en arma. Ya estaba yo tan hallado con ellos, como si todos fuéramos hermanos —que esta facilidad y dulzura se halla siempre en las cosas malas—. Era de ver a uno ponerse la camisa de doce veces, dividida en otros tantos trapos, diciendo una oración a cada uno, como sacerdote que se viste; a cuál se le perdía una pierna en los callejones de las calzas, y la venía a hallar asomada donde menos convenía; otro pedía guía para ponerse el jubón, y en media hora no se podía averiguar con él.

Acabado esto, que no fué poco de ver, todos empuñaron agujas y hilo para hacer un punteado, con extrañas posturas, remendándose por cien mil partes; y la vieja les iba dando los materiales, trapos y arrapiezos de diferentes colores, los cuales había traído el soldado. Acabóse la hora del remedio —que así la llamaban ellos—, y fuéronse mirando unos a otros por si quedaba algo mal parado. Determinaron de irse fuera; yo dije que antes trazasen mi vestido, porque yo quería gastar mis cien reales en uno, y quitarme la sotana. "Eso no —dijeron ellos—; el dinero se dé al depósito, y vistámosle de lo reservado; y señalémosle luego su diócesis en el pueblo, adonde él solo busque y apolille".

Parecióme bien: deposité el dinero, y en un instante, de la sotanilla me hicieron ropilla de luto, de paño; y acortando el ferreruelo, quedó bueno; y lo que sobró, trocaron a un sombrero viejo reteñido; pusiéronle por toquilla unos algodones de tintero muy bien puestos. El cuello y los valones me quitaron, y en su lugar me pusieron unas calzas atacadas, con cuchilladas no más que por delante, porque lados y traseras eran de unas gamuzas. Las medias calzas de seda aún no eran medias, porque no llegaban más de cuatro dedos más abajo de la rodilla, los cuales cuatro dedos cubría una bota justa sobre la media colorada que yo traía. El cuello estaba abierto todo, de puro roto; pusiéronmele, y dijeron: "El cuello está trabajoso por detrás y por los lados. Si mirare uno a vuesa merced, vuélvase con él de rostro, como la flor del sol con el sol; si fueren dos y miraren por los lados, saque pies; y para los de atrás, traiga siempre el sombrero caído sobre el cogote, de suerte que la falda cubra el cuello y descubra toda la frente; y al que preguntare que por qué anda así, respóndale que porque puede andar con su cara descubierta por todo el mundo".

Diéronme una caja con hilo negro y blanco, seda, cordel, agujas, dedal; paño, lienzo, raso y otros retacillos, y un cuchillo; pusiéronme una esquela en la pretina, yesca y eslabón en una bolsa de cuero, diciendo: "Con esta caja puede ir por todo el mundo, sin haber menester amigos ni deudos: en ésta se encierran todos nuestros remedios, tómela y guárdela". Señaláronme por cuartel, para buscar mi vida, el de San Luis; y así empecé mi jornada, saliendo de casa con los otros; aunque por ser nuevo, me dieron (para empezar la estafa, como a misacantano) por padrino al mismo que me trajo y convirtió.

Salimos de casa con paso tardo, los rosarios en la mano; tomamos el camino para mi barrio señalado. A todos hacíamos cortesías; a los hombres quitábamos el sombrero, deseando hacer lo mismo con sus capas; a las mujeres hacíamos reverencias, que se huelgan con ellas. A uno decía mi buen ayo: "Mañana me traen dineros"; a otro: "Aguárdeme vuesa merced un día, que me trae en palabras el banco". Cuál le pedía la capa, cuál la pretina: por donde conocí que era tan amigo de sus amigos, que no tenía cosa suya. Andábamos haciendo culebra de una acera a otra, por no topar con casas de deudores. Ya le pedía uno el alquiler de la casa, otro el de la espada, otro el de las sábanas y camisas: de manera que eché de ver que era caballero de alquiler, como mula. Sucedió, pues, que vió desde lejos un hombre que le sacaba los ojos —según dijo— por una deuda; y porque no le conociese, soltó de detrás de las orejas el cabello, que traía recogido, y quedó nazareno, entre Verónica y caballero lanudo; plantóse un parche en un ojo, y púsose a hablar

italiano conmigo. Esto pudo hacer mientras el otro venía, que
aún no le había visto, por estar ocupado hablando a una vieja;
y digo de verdad que vi al hombre dar vueltas alrededor, como
perro que se quiere echar, hacíase más cruces que un ensalmador, y fuése diciendo: "¡Jesús, Jesús! Quien bueyes ha perdido,
cencerros se le antojan"; yo, muriéndome de risa de ver la figura de mi amigo. Entróse en un portal a recoger la melena y el
parche, y dijo: "Éstos son los adrezos de negar deudas. Apren-
ded, hermano, que veréis mil cosas de estas en el pueblo".

Pasamos adelante, y en una esquina, por ser de mañana, tomamos dos tajadas de letuario, y agua ardiente, de una picarona
que nos las dió de gracia; y después de dar a mi adiestrador el
bienvenido, díjome: "Con esto vaya el hombre descuidado de
comer hoy; y por lo menos esto no puede faltar". Afligíme yo,
considerando que aún teníamos en duda la comida; y repliqué por
parte de mi estómago. A lo cual respondió:

"Poca fe tienes con la religión y orden de los caninos; no
falta el Señor a los cuervos ni a los grajos, ni aun a los escribanos, ¿y había de faltar a los traspillados? Poco estómago tienes.

—Es verdad —dije—, pero temo mucho tener menos y
nada en él".

En esto estábamos, cuando dió un reloj las doce; y como yo,
era nuevo en el trato, no les cayó en gracia a mis tripas el letuario; y tenía hambre como si tal no hubiera comido. Renovada,
pues, la memoria con la hora, volvíme al amigo y dije:

"Hermano, éste de la hambre es recio noviciado. Estaba
un hombre hecho a comer más que un sabañón, y hambre metido
a vigilias. Si vos no lo sentís, no es mucho, que criado con hambre desde niño —como el otro rey con ponzoña—, os sustentáis
ya con ella. No os veo hacer diligencia vehemente por mascar;
y así yo determino de hacer lo que pudiere.

—¡Cuerpo de Dios —replicó— con vos! Pues dan agora
las doce, ¿y tanta prisa? Tenéis muy puntuales ganas y ejecuti-
vas, y han menester llevar en paciencia algunas pagas atrasadas.
¡No sino comer todo el día! ¿Qué más hacen los animales? No
se escribe que jamás caballero nuestro haya tenido cámaras;
que antes, de puro mal proveídos, no nos proveemos. Ya os he
dicho que a nadie falta Dios; y si tanta priesa tenéis, yo me

voy a la sopa de San Jerónimo, adonde hay aquellos frailes de leche como capones, y allí haré el buche. Si vos queréis seguirme, venid, y si no, cada uno a sus aventuras.

—Adiós —dije yo—, que no son tan cortas mis faltas, que se hayan de suplir con sobras de otros; cada uno eche por su calle".

Mi amigo iba pisando tieso, y mirándose a los pies; sacó unas migajas de pan (que traía para el efecto siempre en una cajuela), y derramóselas por la barba y vestido; de suerte que parecía haber comido. Ya yo iba escarbando a ratos los dientes, limpiándome los bigotes, limpiándome las migajas con la capa, de manera que cuantos me veían, me juzgaban por comido; y si fuera de piojos, no erraran.

Iba yo fiado en mis escudillos de oro, aunque me remordía la conciencia comer a su costa, quien vive de tripas horras: yo me iba determinando a quebrar el ayuno. Llegué con esto a la esquina de la calle de San Luis, donde vivía un pastelero; asomábase uno de a ocho tostado, y con aquel resuello del horno tropezóme las narices; y al instante me quedé (del modo que andaba) como el perro perdiguero con el aliento de la caza; puestos en él los ojos, le miré con tanto ahinco, que se secó el pastel como un niño aojado. Allí es de contemplar las trazas que yo daba para hurtarle; resolvíame otras veces a pagarlo. En esto me dió la una; angustiéme de manera, que me determiné a meterme en un bodegón de los que están por allí. Yo, que iba haciendo punta en uno, Dios que lo quiso, topo con un licenciado Flechilla, amigo mío, que venía haldeando por la calle abajo, con más barros que la cara de un sanguino, y tantos rabos como un chirrión con sotana; arremetió a mí en viéndome (que, según estaba, fué mucho conocerme); yo le abracé; preguntóme cómo estaba; dije luego:

"¡Ah señor licenciado, qué de cosas tengo que contalle! Sólo me pesa, de que me tengo de ir esta noche, y no habrá lugar.

—De eso me pesa a mí —replicó— y si no fuera por ser tarde, con priesa por comer, me detuviera más, porque me aguarda una hermana casada y su marido.

—¿Que aquí está mi señora doña Ana? Aunque lo deje todo, vamos; que quiero hacer lo que estoy obligado".

Abrí los ojos oyendo que no había comido; fuíme con él, y
empecéle a contar que una mujercilla —que él había querido
mucho en Alcalá—, sabía yo dónde estaba, y que le podía yo
dar entrada en su casa. Pegósele al alma luego el envite, que fué
industria tratarle de cosas de su gusto. Llegamos tratando en ello
hasta su casa; entramos, y yo me ofrecí mucho a su cuñado y
hermana; y ellos, no persuadiéndose a otra cosa sino a que yo
venía convidado, por venir a tal hora, comenzaron a decir que
si supieran que habían de tener tal huésped, que hubieran prevenido algo. Yo cogí la ocasión y convidéme, diciendo que yo
era de casa y amigo viejo, y que se me hiciera agravio en tratar-
me con cumplimiento. Sentáronse y sentéme; y porque el otro
lo llevase mejor (que ni me había convidado, ni pasádole por la
imaginación), de rato en rato le pegaba yo con la mozuela,
diciéndole algo entre dientes de que me había preguntado por él
y otras mentiras; con lo cual llevaba mejor el verme engullir,
porque tal destrozo como yo hice en el ante, no le hiciera una
bala en el de un coleto. Vino la olla, y comímela en dos bocados
casi toda, sin malicia; pero con priesa tan fiera, que parecía que
aun en los dientes no la tenía bien segura. Dios es mi padre, que
no come un cuerpo más puesto el montón de la Antigua de
Valladolid —que lo deshace en veinticuatro horas—, que yo des-
paché el ordinario, pues fué con más priesa que un extraordinario el correo. Ellos bien debieron de notar los fieros tragos de
caldo y el modo de agotar la escudilla, la persecución de los
huesos y el destrozo de la carne; y, si va a decir verdad, entre
burla y juego empedré la faltriquera de mendrugos. Levantóse la
mesa, y levantámonos el licenciado y yo a hablar en la ida a
casa de la dicha, y se lo facilité mucho; y estando hablando con
él a una ventana, hice que me llamaban de la calle, y dije: "¿A
mí, señora? Ya bajo". Pedí licencia, y dije que luego volvería;
quedóme aguardando hasta hoy, por que desparecí por lo del
pan comido y la compañía deshecha. Topóme otras muchas
veces, y disculpéme con él, diciéndole mil embustes, que no im-
portan para el caso.

Fuíme por esas calles de Dios; llegué a la puerta de Guada-
lajara, y sentéme en un banco de los que tienen en sus tiendas
los mercaderes. Quiso Dios que llegaron a la tienda dos, de las

que piden prestado sobre sus caras, tapadas de medio ojo, con su vieja y pajecillo. Preguntaron si había algún terciopelo de labor extraordinario; yo empecé luego, por trabar conversación, a juzgar del vocablo terciopelado, pelo a pelo, y por pelo, y no dejé hueso sano a la razón. Sentí que les había dado mi libertad algún seguro de algo de la tienda; y yo, como quien no aventuraba a perder nada, ofrecílas lo que quisiesen. Regateaban, diciendo que no tomaban de quien no conocían. Yo me aproveché de la ocasión diciendo que había sido atrevimiento ofrecerles nada, pero que me hiciesen merced de aceptar unas telas que me habían traído de Milán, que a la noche llevaría un paje (que les dije que era mío, por estar enfrente aguardando a su amo, que estaba en otra tienda, por lo cual estaba descaperuzado). Y para que me tuviesen por hombre de partes y conocido, no hacía sino quitar el sombrero a todos los oidores y caballeros que pasaban, sin conocer a ninguno, como si los tratara familiarmente. Ellas se regocijaron con esto, y aun se cegaron con unos cien escudos en oro que yo saqué de los que traía, con achaque de dar limosna a un pobre que me la pidió, delante de ellas. Parecióles irse, por ser ya tarde; y así me pidieron licencia, advirtiéndome con el secreto que había de ir el paje. Yo las pedí, por favor y como en gracia, un rosario engarzado en oro que llevaba la más bonita, en prenda de que las había de ver a otro día sin falta. Regatearon dármele; yo les ofrecí en prenda los cien escudos; dijéronme su casa, con intento de estafarme en más; se fiaron de mí, y preguntáronme la posada, diciendo que no podía entrar paje en la suya a todas horas, por ser gente principal. Yo las llevé por la calle Mayor, y al entrar por la de las Carretas, escogí la casa más grande y mejor que me pareció; tenía un coche sin caballos a la puerta; díjeles que aquélla era, y que allí estaba el coche y el dueño para servirlas. Llaméme don Álvaro de Córdoba y entréme por la puerta delante de sus ojos. Y acuérdome que cuando salimos de la tienda, llamé uno de los pajes (con grande autoridad) con la mano; hice que les decía que se quedasen todos y me aguardasen allí, que así dije yo que lo había dicho; y la verdad fué que le pregunté si era criado del comendador mi tío. Dijo que no; y con tanto, acomodé los criados ajenos como buen caballero.

Llegó la noche obscura y recogímonos a casa todos. Entré

y hallé al soldado de los trapos con una hacha de cera que le dieron para acompañar un difunto, y se vino con ella. Llamábase éste Marguso, natural de Olías; había salido capitán en una comedia, y combatido con moros en una danza. A los de Flandes decía, que había estado en la China; y a los de la China, en Flandes. Trataba de formar un campo, y nunca supo sino espulgarse en él; nombraba castillos, y apenas los había visto en los ochavos. Celebraba mucho la memoria del señor don Juan, y oíle decir muchas veces de Luis Quijada que había sido honrado amigo. Nombraba turcos, galeones y capitanes, todos los que había leído en unas coplas que andan desto; y como él no sabía nada de mar —porque no tenía de naval más que el comer nabos—, dijo contando la batalla que había vencido el señor don Juan en Lepanto, que aquel Lepanto era un moro muy bravo: no sabía el pobrete que era nombre del mar. Pasábamos con él lindos ratos.

Entró luego mi compañero, deshechas las narices y toda la cabeza entrapajada, lleno de sangre y muy sucio. Preguntámosle la causa, y dijo que había ido a la sopa de San Jerónimo, y que pidió ración doblada, diciendo que era para unas personas honradas y pobres. Quitáronselo a los otros mendigos para dársela, y ellos siguiéronle, y vieron que en un rincón detrás de la puerta estaba sorbiendo con gran valor; y sobre si era bien engañar por engullir y quitarlo a los otros para sí, se levantaron voces, y tras ellas palos, y tras los palos chichones y tolondrones en su pobre cabeza. Embistiéronle con los jarros, y el daño de las narices se le hizo uno con una escudilla de palo, que se la dió a oler con más priesa que convenía. Quitáronle la espada; salió a las voces el portero, y aún no los podía meter en paz. En fin: se vió en tanto peligro el pobre, que decía: "Yo volveré lo que he comido"; y aún no bastaba, porque ya no reparaban sino en que pedía para otros, y no se preciaba de la sopa.

—¡Miren el todo trapos como muñeca de niñas, más triste que pastelería en Cuaresma, con más agujeros que una flauta y más remiendos que una pía y más manchas que un jaspe y más puntos que un libro de música —decía un estudiante destos de la capacha, garronazo—, que hay hombre en la sopa del bendito santo, que puede ser obispo, y se afrenta un don Peluche de comer! Graduado estoy de bachiller en artes por Sigüenza".

Metióse el portero de por medio, viendo que un vejezuelo que allí estaba decía que, aunque acudía al brodio, era descendiente del Gran Capitán.

Aquí lo dejo, porque el compañero estaba ya fuera desaprensando los huesos.

CAPÍTULO XVI

EN QUE PROSIGUE LA MISMA MATERIA, HASTA DAR CON TODOS EN LA CÁRCEL

Entró Merlo Díaz, hecha la pretina una sarta de vidrios y búcaros, que pidiendo en los tornos de monjas de beber, con poco temor de Dios, se había quedado con ellos. Mas sacóle de la puja don Lorenzo del Pedroso, el cual entró con una capa muy buena que había trocado en una mesa de trucos a la suya: que no se le cubrirá pelo al que la llevó, por ser desbarbada. Usaba este caballero quitarse la capa, como que quería jugar, y ponerla con las otras, y luego, como que no hacía partido, iba por su capa, y tomaba la que mejor le parecía y salíase. Usábalo en los juegos de argolla y bolos.

Mas todo fué nada para ver entrar a don Cosme, cercado de muchachos con lamparones, cáncer, lepra; heridos y mancos; el cual se había hecho ensalmador con unas santiguaduras que había aprendido, y unas oraciones de una vieja. Ganaba éste por todos, porque si el que venía a curarse no traía bulto debajo de la capa, o no sonaba dinero en la faltriquera, o no piaban algunos pollos e capones, no había lugar. Tenía asolado medio reino; hacía creer cuanto quería, porque no ha nacido tal artífice en el mentir; tanto, que aun por descuido no decía verdad. Hablaba del Niño Jesús; entraba en las casas con *Deo gratias;* decía lo de "el Espíritu Santo sea con todos". Traía todo ajuar de hipócrita: un rosario con unas cuentas frisonas, y al descuido hacía que se le viese por debajo de la capa un trozo de disciplina, salpicada con sangre de narices; hacía creer, concomiéndose, que los piojos eran cilicios, y la hambre canina eran ayunos voluntarios; contaba tentaciones; en nombrando al demonio decía: "Dios nos libre y nos guarde"; besaba la tierra al entrar en la iglesia; llamábase indigno; no levantaba los ojos a las mujeres, pero las faldas sí. Con estas cosas traía el pueblo tal, que se encomendaban a él, y era como encomendarse al diablo; porque él era jugador, y lo otro diestro (que llaman por mal nombre fullero). Juraba el nombre de Dios unas veces en vano y otras en vacío. Pues en lo que toca a mujeres, tenía siete hijos, y preñadas dos santeras. Al fin de los mandamientos de Dios, los que no quebraba, hendía.

Vino Polanco haciendo gran ruido, pidiendo su saco pardo, cruz grande, la barba larga postiza y campanilla. Andaba de noche desta suerte, diciendo: "Acordaos de la muerte, y haced bien, hermanos, por las ánimas", etc. Con esto cogía mucha limosna, y entrábase en las casas que veía abiertas; y si no había testigos, robaba cuanto había; y si le topaban, tocaba la campanilla, diciendo: "Acordaos, hermanos", etc.

Todas estas trazas de hurtar y modos extraordinarios conocí en ellos por espacio de un mes.

Volvamos agora a que les enseñé mi rosario; contéles el cuento; celebraron mucho la traza, y recibióle la vieja con su cuenta y razón para venderle; la cual se iba por las casas diciendo que era de una doncella pobre, y que se deshacía dél para comer; y ya tenía para cada cosa su embuste y su traza. Lloraba la vieja a cada paso; enclavijaba las manos y suspiraba de lo amargo; llamaba hijos a todos; traía (encima de muy buena camisa, jubón, ropa, sayas y manteo) un saco de sayal roto, de un amigo ermitaño que tenía en las cuestas de Alcalá. Esta gobernaba el hato, aconsejaba y encubría. Quiso, pues, el diablo —que nunca está ocioso en cosas tocantes a sus siervos—, que yendo a vender no sé qué ropa y otras cosillas a una casa, conoció uno no sé qué hacienda suya; trajo un alguacil, y agarróme la vieja, que se llamaba la madre Lepruscas. Confesó luego todo el caso, y dijo de la manera que vivíamos todos, y que éramos caballeros de rapiña.

Dejóle el alguacil en la cárcel; vino a nuestra casa, hallónos en ella a todos. Traía media docena de corchetes —verdugos de a pie—, y dió con todo el colegio buscón en la cárcel, adonde se vió la caballería en gran peligro.

CAPITULO XVII

Echáronnos, en entrando, a cada uno dos pares de grillos, y
sumiéronnos en un calabozo. Yo, que me vi ir allá, aprovechéme
del dinero que traía conmigo, y sacando un doblón, díjele al carcelero: "Señor, óigame vuesa merced en secreto", y para que lo
hiciese, dile escudos como cara: en viéndolos me apartó. "Suplico a
vuesa merced —le dije— que se duela de un hombre de bien."
Busquéle sus manos, y como las palmas estaban hechas a llevar
semejantes dátiles, cerró con los dichos escudillos, diciendo: "Yo
averiguaré la enfermedad, y si no es urgente, bajará al calabozo."
Respondíle humilde. Dejóme fuera, y a los amigos descolgáronlos
abajo.

Dejo de contar la risa tan grande que en la cárcel y por las
calles había con nosotros; porque, como nos traían atados y a
empellones, y unos sin capas y otros con ellas arrastrando, era
de ver unos cuerpos pías remendados, y otros aloques de tinto y
blanco; y para asir a alguno seguramente, como estaba tan manido
el vestido, le agarraba el corchete de las puras carnes, y aun
no hallaba de qué asir. Otros iban dejando a los corchetes en las
manos los pedazos de ropillas y gregüescos; y al quitar la soga
en que veníamos ensartados, se salían pegados los andrajos.

Al fin, diéronme para dormir la sala de los linajes. Diéronme
mi camilla. Era de ver a algunos dormir envainados, sin quitarse
nada; otros desnudarse de un golpe todo cuanto traían encima;
otros jugaban. Y al fin, cerrados, se mató la luz. Olvidamos todos
los grillos.

Estaba el servicio a mi cabecera, y a la medianoche no hacían
sino venir presos y soltar presos. Yo, que oí el ruido, al principio

—pensando que eran truenos— comencé a santiguarme y a llamar a Santa Bárbara; mas viendo que olían mal, eché de ver que no eran truenos de buena casta. Hedía tanto, que pensé morirme. Unos traían cámaras; otros, aposentos. Al fin, yo me vi forzado a decirles que mudasen a otra parte el vidriado, y sobre si "viene muy ancho", o no, tuvimos palabras. Usé de oficio de adelantado (que es mejor serlo de un cachete que de Castilla), y metíle media pretina en la cara. El, por levantarse apriesa, derramó el almidón. Despertó el concurso; asábamonos a pretinazos a escuras, y era tanto el mal olor, que hubieron de levantarse todos. Alzóse el grito; el alcaide pensando que se le iban algunos vasallos, subió corriendo, armado, con toda su cuadrilla. Abrió la sala, entró luz, informóse del caso. Condenábanme todos; yo me disculpaba con decir que en toda la noche no me habían dejado cerrar los ojos, a puro abrir los suyos. El carcelero, pareciéndole que por no dejarme zabullir en el horado le daría otro doblón, asió del caso y mandóme bajar allá. Determinéme a consentir, antes que pellizcar el talego más de lo que estaba. Fuí llevado abajo; recibiéronme con arbórbola y placer los amigos.

Dormí aquella noche algo desabrigado. Amaneció el Señor, y salimos del calabozo. Vímonos las caras, y lo primero que nos fué notificado fué dar para la limpieza —y no de la Virgen sin mancilla—, so pena de culebrazo fino. Yo di luego seis reales; mis compañeros no tuvieron qué dar, y así quedaron remitidos para la noche.

Había en el calabozo un mozo tuerto, alto, bigotado, mohino de cara, cargado de espaldas y de azotes en ellas; traía más hierro que Vizcaya, dos pares de grillos y una cadena de portada. Llamábanle el Jayán; decía que estaba preso por cosas de aire, y así sospechaba yo si era por alguna fuelle o chirimía o abanico. Y preguntándole yo si era por algo desto, respondía que no, que eran cosas de atrás; yo pensé que eran pecados viejos, y averigüé que por puto. Cuando el alcaide le reñía por alguna travesura, le llamaba botiller del verdugo y depositario general de culpas. Había confesado ya éste, y era tan maldito, que nos obligaba a traer las traseras con carlancas, como mastines, y no había quien osase ventosear, de miedo de acordarle dónde tenía las asentaderas. Este hacía amistad con uno que llamaban Robledo y por otro nombre el Trepado. Decía que estaba preso por liberali-

dades, y he entendido que eran de manos, en pescar lo que topaba. Este había sido más azotado que postillón; ni había verdugo que no hubiese probado la mano en él; la cara toda acuchilla-
da. Tenía nones las orejas y pegadas las narices, aunque no tan
bien como la cuchillada que se las partía. A éstos se llegaron otros
cuatro hombres —rapantes como leones de armas—, todos agrilla-
dos y condenados al hermano de Rómulo. Decían ellos que presto
podrían decir que habían servido a su rey por mar y por tierra.
No se podrá creer la notable alegría con que aguardaban su des-
pacho.

Todos éstos, mohinos de ver que mis compañeros no con-
.ribuían, ordenaron a la noche de darlos culebrazo bravo con una
soga dedicada al efecto. Vino la noche; fuimos ahuchados a la
postrera faldriquera de la casa; mataron la luz; yo metíme luego
debajo de la tarima. Empezaron a silbar dos de ellos, y otro a dar
sogazos. Los buenos caballeros (que vieron el negocio de revuelta),
se apretaron de manera las carnes ayunas (cenadas, comidas y al-
morzadas de sarna y piojos), que cupieron todos en un resquicio
de la tarima; estaban como liendres en cabello o chinches en cama.
Sonaban los golpes en las tablas, callaban los dichos. Los bellacos
que vían que no se quejaban, dejaron de dar azote, y empezaron
a tirar ladrillo y cascote que tenían recogido. Allí fué ello, que
uno le halló el cogote a don Toribio, y le descalabró. Comenzó
a dar voces que le mataban, y los bellacones, porque no se oyesen
sus aullidos, cantaban todos juntos y hacían ruido con las pri-
siones. El, por esconderse, asía de los otros para meterse debajo;
y con la fuerza que hacían, les sonaban los huesos como tablillas de San Lázaro. Acabaron su vida las ropillas; no quedaba
andrajo en pie; menudeaban tanto las piedras y cascotes, que dentro de poco tiempo tenía el pobre de don Toribio más golpes en la
cabeza que una ropilla abierta. Vídose tan sin remedio morir
como San Esteban (pero no tan santo), que dijo llorando le
dejasen salir, que él pagaría luego, y daría sus vestidos en prendas. Consintiósele, a pesar de los otros que se defendían con él;
descalabrado y como pudo, se levantó y pasó a mi lado. Los
otros, por presto que acordaron a ofrecer lo mismo, ya tenían
las chollas con más tejas que pelos. Ofrecieron también sus vestidos, haciendo cuenta que era mejor estar en la cama por desnudos que por heridos; y así, aquella noche los dejaron; y a la

mañana los pidieron que se desnudasen, y se halló que de todos los vestidos juntos no se podían echar unas soletas. Quedáronse los pobretes envueltos en una manta, que llaman la ruana, que es donde se espulgan todos. Comenzaron luego a sentir el abrigo de la manta, porque había piojo con hambre canina; había piojos frisones, y otros que se podían echar a la oreja de un toro. Pensaron aquella mañana ser comidos de ellos; quitáronse la manta, maldiciendo su fortuna, deshaciéndose a puras uñadas. Yo salíme del calabozo, diciéndoles que me perdonasen, si no les hiciese mucha compañía, porque me importaba no hacérsela. Torné a repasarle las manos con tres de a ocho al carcelero; y sabiendo quién era el escribano de la causa, invié a llamarle con un picarillo. Vino, metíle en un aposento, y empecéle a decir —después de haber tratado de la causa—, cómo yo tenía no sé qué dinero; supliquéle que me lo guardase, y que en lo que hubiese lugar favoreciese la causa de un hijodalgo desgraciado, que por engaño había incurrido en tal delito. "Crea vuesa merced —dijo, después de haber pescado la mosca—, que en nosotros está todo el juego; y que si uno da en no ser hombre de bien, puede hacer mucho mal. Más tengo yo en galeras de balde por mi gusto, que hay letras en el proceso. Créase vuesa merced de mí, y fíe que le sacaré a paz y a salvo."

Fuése con esto, y volvióse desde la puerta a pedirme algo para el buen Diego García, el alguacil, que importaba acallarle con mordaza de plata, y apuntóme no sé qué del relator, para ayuda de comerse la cláusula entera, y dijo: "Un relator, señor, con arquear las cejas, levantar la voz, dar una patada (para hacer atender al alcalde divertido), hacer una acción, destruye un crisiano." Dime por entendido, y añadí otros cincuenta reales; y en pago me dijo que enderezase el cuello de la capa, y dióme dos remedios para el catarro que tenía (de la frialdad del calabozo); y últimamente me dijo mirándome con grillos: "Ahorre vuesa merced de pesadumbres, que con ocho reales que dé al alcaide, le aliviará; que ésta es gente que no hace virtud, si no es por interés"; cayóme en gracia la advertencia. Al fin, él se fué; yo di al carcelero un escudo; quitéme los grillos.

Dejábame entrar en su casa. Tenía una ballena por mujer y dos hijas del diablo, feas, necias y putas, a pesar de sus caras. Sucedió que el carcelero (se llamaba Tal Blandones de San Pablo

y la mujer doña Ana de Mora) vino a comer muy enojado y
bufando, estando yo allí; no quiso comer; y la mujer, recelando
una gran pesadumbre, se llegó a él, y le enfadó tanto, que dijo:
"¿Qué ha de ser, si el bellaco ladrón de Almendros, el aposentador,
me ha dicho —teniendo palabras con él sobre el arrendamiento—
que vos no sois limpia?"

—¿Tantos rabos me ha quitado el bellaco? —dijo ella—. Por
el siglo de mi abuela que no sois hombre, pues no le pelastes las
barbas. ¿Llamo yo a sus criadas que me limpien?

Y volviéndose a mí, dijo: "Que no podrá decir que soy judía
como él, que de cuatro cuartos que tiene, los dos son de villano,
y los otros ocho maravedís de hebreo. A fe, señor don Pablos,
que si yo lo oyera, que yo le acordara que tiene las espaldas en
el aspa de San Andrés."

Entonces, muy afligido el alcaide, respondió: "¡Ay, mujer!,
que callé porque dijo que en esa aspa teníades vos dos o tres
madejas; que lo sucio no os lo dijo por lo puerco, sino por no
lo comer."

—¿Luego judía dijo que era? ¿Y con esa paciencia lo decís,
buenos tiempos? ¿Así sentís la honra de doña Ana de Mora,
siendo nieta de Esteban Rubio y hija de Juan de Madrid, que sabe
Dios y todo el mundo?

—¿Cómo hija —dije yo— de Juan de Madrid?

—De Juan de Madrid hija, el de Auñón.

—Voto a Dios —dije yo— que el bellaco que tal dijo es un
judío, puto y cornudo; porque Juan de Madrid, mi señor (que
esté en el cielo), fué primo hermano de mi padre, y daré yo por
probanza de quién es y cómo; y esto me toca a mí; y si salgo
de la cárcel, yo le haré desdecir cien veces al bellaco; ejecutoria
tengo en el pueblo tocante a entrambos con letras de oro.

Alegráronse, y cobraron ánimo con lo de la ejecutoria; y ni
yo la tenía, ni sabía quiénes eran. Comenzó el marido a que-
rerse informar del parentesco por menudo. Yo, porque no me
cogiese en mentira, hice que me salía de enojado, votando y jurando. Tuviéronme, diciendo que no se trataría más de ello. Yo,
de rato en rato, salía muy al descuido, diciendo: "¡Juan de Madrid! Burlandillo es la probanza que yo tengo suya." Otras veces
decía: "Juan de Madrid, el mayor, fué casado con Ana de Acebe-
do, la gorda"; callaba otro poco.

Y con estas cosas, el alcaide me daba de comer y cama en su casa; y el escribano —solicitado de él, y cohechado con el dinero—, lo hizo tan bien, que sacaron la vieja delante de todos en un palafrén pardo, a la brida, con un músico de culpas delante. Era el pregón: "A esta mujer por ladrona." Llevábale el compás en las costillas el verdugo, según lo que le habían recetado los señores de los ropones. Luego siguieron todos mis compañeros, a la jineta, sin sombreros y las caras descubiertas. Sacábanlos a la vergüenza, y cada uno, de puro roto, llevaba las suyas de fuera. Desterráronlos por seis años. Salí en fiado por virtud del escribano; y el relator no se descuidó, porque habló mucho, quedo y ronco; brincó razones, y mascó cláusulas enteras.

CAPITULO XVIII

DE CÓMO TOMÉ POSADA, Y LA DESGRACIA QUE ME SUCEDIÓ EN ELLA

Salí de la cárcel, halléme solo y sin los amigos; aunque me avisaron que iban camino de Sevilla a costa de la caridad, no los quise seguir. Determiné de irme a mi posada, donde hallé una moza rubia y blanca, miradora, alegre, entremetida, y a veces entresacada y salida; y ceceaba un poco. Tenía miedo a los ratones, preciábase de manos, y por enseñarlas, despabilaba las velas y partía la comida en la mesa; señalaba lo que era cada cosa; en la iglesia siempre tenía puestas las manos; por las calles iba enseñando qué casa era de uno y cuál de otro; en el estrado, de continuo tenía un alfiler que prender en el tocado; si se jugaba a algún juego, era siempre al de pizpirigaña, por ser cosa de mostrar manos; hacía que bostezaba —adrede, sin tener gana—, por mostrar los dientes y las manos haciendo cruces en la boca. Al fin toda la casa tenía ya tan manoseada, que enfadaba a sus mismos padres. Hospedáronme muy bien en su casa, porque tenía trato de alquilarla. Había tres moradores: yo, el uno de ellos, y el otro un portugués y un catalán; hiciéronme muy buena acogida. A mí no me pareció mal la moza para el deleite, y lo otro la comodidad de hallármelo en casa. Puse en ella los ojos; contábales cuentos que yo tenía estudiados para entretener; traíales nuevas, aunque nunca las hubiese; servíales en todo lo que era de balde. Díjeles que sabía encantamentos; que haría que pareciese que se ardía la casa, y otras cosas que ellas —como buenas creedoras— tragaron. Granjeé una voluntad en todos muy agradecida, pero no enamorada; que como no estaba tan bien vestido como era razón —aunque ya me había mejorado por medio de alcaide, a quien visitaba siempre, conservando la sangre a pura carne y pan que le comía—, no hacían de mí el caso que era razón.

Di, por acreditarme, en enviar a mi casa amigos que me buscasen cuando no estaba en ella. Entró el primero preguntando por el señor don Ramiro de Guzmán, que así dije que era mi nombre, porque los amigos me habían dicho que no era de costa el mudárselos, y que era útil; al fin preguntó por don Ramiro, "un hombre de negocios, rico, que hizo ahora tres asientos con el rey". Desconociéronme en esto los huéspedes, y dijeron que allí no vivía sino don Ramiro de Guzmán, más roto que rico, pequeño de cuerpo, feo de cara y pobre. "Ese es —replicó— por quien pregunto, y no quisiera más renta a servicio de Dios de la que tiene más de dos mil ducados." Contóles ciertos embustes; quedáronse espantadas, y él las dejó una cédula de cambio fingida, que traía a cobrar de mí, de nueve mil escudos; dijo que me la diesen para que la aceptase. Creyeron la riqueza la niña y la madre, y acotáronme luego para marido. Vine yo muy disimulado, y en entrando me dieron la cédula, diciendo: "Dineros y amores mal se encubren, señor don Ramiro; ¿cómo que nos esconda vuesa merced quién es, debiéndonos tanta voluntad?" Yo hice como que me había disgustado por el dejar de la cédula, y fuíme a mi aposento. Era de ver cómo, en creyendo que tenía dinero, decían que todo me estaba bien; celebraban mis palabras, no había tal donaire como el mío. Yo, que las vi tan cebadas, declaré mi voluntad a la muchacha, y ella me oyó contentísima, diciéndome mil lisonjas. Apartámonos; y una noche, para confirmarlas más en mi riqueza, cerréme en mi aposento, que estaba dividido del suyo sólo con un tabique muy delgado, y sacando cincuenta escudos, estuve contándolos en la mesa tantas veces, que oyeron contar hasta seis mil escudos. Viéndome con tanto dinero de contado, dieron en desvelarse para regalarme y servirme.

El portugués se llamaba o senhor Vasco de Meneses, *fidalgo* de la orden de Christus. Traía su capa de bayeta larga, botas, cuello pequeño y mostachos grandes. Moría por la doña Berenguela de Robledo, que así se llamaba; enamorábala sentándose a conversación, y suspirando más que beata en sermón de Cuaresma. Cantaba mal, y siempre andaba apuntando con el catalán, el cual era la criatura más triste y miserable que Dios crió; comía a tercianas, de tres en tres días, y el pan tan duro, que apenas lo pudiera morder un maldiciente; pretendía por lo bravo, y si no era el poner huevos, no le faltaba otra cosa para ser gallina, porque cacareaba notablemente. Como vieron los dos que iba tan adelante, dieron en decir mal de mí. El portugués decía que era un piojoso, pícaro, desarrapado; y el catalán me trataba de cobarde y vil. Yo lo sabía todo, y a veces lo oía; pero no me hallaba con ánimo de responder.

Al fin la moza me hablaba y respondía a mis billetes. Comenzaba por lo ordinario: "Este atrevimiento, su mucha hermosura de vuesa merced"; ofrecíame por esclavo, firmaba el corazón con la saeta. Al fin llegamos a los túes; y yo, para alimentar más el crédito de mi calidad, salíme de casa y alquilé una mula; y rebozado y mudando la voz, vine a mi posada, y pregunté por mí mismo, diciendo si vivía allí su merced el señor don Ramiro de Guzmán, señor de Valcerrado y Velorete. "Aquí vive —respondió la niña—, un caballero de ese nombre, pequeño de cuerpo." Y por las señas dije yo que era él, y la supliqué que le dijese que Diego de Solórzano, su mayordomo que fué de las depositarías, pasaba a la cobranza, y le había venido a besar las manos. Con esto me fuí, y volví a casa de allí a un rato. Recibiéronme con la mayor alegría del mundo, diciendo que para qué les tenía escondido el ser señor de Valcerrado y Velorete; diéronme el recado.

Con esto la muchacha se remató, coduciosa de marido tan rico, y trató de que la fuese a hablar, a la una de la noche, por un corredor que caía a un tejado, donde estaba la ventana de su aposento. El diablo, que siempre es agudo, ordenó que, venida la noche, yo, deseoso de gozar la ocasión, me subí al corredor; y por pasar desde él al tejado, vánseme los pies, y di en el de un vecino escribano tan desatinado golpe, que quebré todas las tejas. Al ruido despertó toda la casa, y pensando que eran ladrones —como lo son los de este oficio—, subieron al tejado. Yo, como lo vi, quíseme esconder detrás de una chimenea, y fué aumentar la sospecha, porque el escribano y un hermano y dos criados me molieron a palos, y me ataron a vista de mi dama, sin bastarme diligencia. Mas ella se reía mucho, porque, como yo la había dicho que sabía hacer burlas y encantamentos, pensó que había caído por gracia y nigromancia, y no hacía sino decirme que subiese, que bastaba ya. Con esto, y con los palos y puñadas que me daban, daba aullidos; y era lo bueno que ella pensaba que todo era artificio, y no acababa de reír.

Comenzó luego a hacer la causa, y porque me sonaron unas

llaves en la faltriquera, dijo y escribió que eran ganzúas; y aunque las vió, no hubo remedio de que no lo fuesen. Díjele que era don Ramiro de Guzmán, y rióse mucho. Yo, triste —que me había visto moler a palos delante de mi dama, y me había de llevar preso sin razón, con mal nombre—, no sabía qué hacerme. Hincábame de rodillas, y ni por esas ni por esotras bastaba con el escribano.

Todo esto pasaba en el tejado; que los tales, aun de las tejas arriba, levantan testimonios. Dieron orden de bajarme abajo, y lo hicieron por una ventana, que caía a una pieza que servía de cocina.

CAPITULO XIX

No cerré los ojos en toda la noche, considerando mi desgracia, que no fué dar en el tejado, sino en las manos del escribano, y cuando me acordaba de lo de las ganzúas, y las hojas que había escrito en la causa, echaba de ver que no hay cosa que tanto crezca como culpa en poder de escribano. Pasé toda la noche en revolver trazas; unas veces me determinaba rogárselo por Jesucristo, y considerando lo que él pasó con ellos vivo, no me atrevía; mil veces me quise desatar, pero sentíame luego, y levantábase a visitarme los ñudos, que más velaba él en cómo forjaría el embuste, que yo en mi provecho. Madrugó al amanecer, y vistióse a hora que en toda su casa no había otros levantados sino él y los testimonios; agarró de la correa, y tornóme a repasar las costillas; reprehendióme el mal vicio de hurtar, como quien también le sabía. En esto estábamos, él dándome, y yo casi determinado de darle a él dineros —que es la sangre del cordero con que se labran semejantes diamantes—, cuando; incitados y forzados de los ruegos de mi querida, que me había visto caer y apalear, desengañada que no era encanto, sino desdicha, entraron el portugués y el catalán; y en viendo el escribano que me hablaban, desenvainando la pluma, los quiso espetar por cómplices en el proceso. El portugués no lo pudo sufrir, y tratóle algo mal de palabra, diciéndole que él era un caballero *fidalgo de casa du rey,* y que yo era un *home muito fidalgo,* y que era bellaquería tenerme atado. Comenzóme a desatar y al punto el escribano clamó: "¡Resistencia!"; y dos criados suyos —entre corchetes y ganapanes— pisaron las capas, deshiciéronse los cuellos, como lo suelen hacer para representar las puñadas que no ha habido; pedían favor al rey. Los dos, al fin, me desataron, y viendo el escribano que no había quien le ayudase, dijo: "Voto a Dios, que esto no se puede hacer conmigo, y que a no ser vuesas mercedes quien son, les había de costar muy caro: manden contentar estos testigos, y echen de ver que les sirvo sin interés." Yo vi luego le letra; saqué ocho reales y díselos, y aun estuve por volverle los palos que me había dado; pero por no confesar que los había recibido, lo dejé y me fuí con ellos, dándoles gracias de mi libertad y rescate; y entré en casa con la cara rebozada de puros mojicones, y las espaldas algo mohinas de los varapalos.

Reíase el catalán mucho, y decía a la niña que se casase conmigo para volver el refrán al revés, y que no fuese tras cornudo apaleado, sino tras apaleado cornudo. Tratábanme de resuelto y sacudido (por los palos), y traíanme afrentado con estos equívocos. Si entraba a visitarlos, trataban luego de varear, otras veces de leña y madera. Yo, que me vi corrido y afrentado, y que ya me iban dando en la flor de lo rico, comencé a trazar de salirme de casa; y para no pagar comida, cama ni posada (que montaba muchos reales), y sacar mi hato libre, tracé con un licenciado Brandalagas, natural de Hornillos, y con otros dos amigos míos, que me viniesen una noche a prender. Llegaron a la señalada, y requirieron a la huéspeda que venían de parte del Santo Oficio, y que convenía el secreto. Temblaron todas luego, y creyeron la prisión, por lo que yo me había hecho nigromántico con ellos. Al sacarme a mí callaron; pero al ver sacar el hato, pidieron embargo de la deuda, y respondieron que eran bienes de la Inquisición. Con esto no chistó alma terrena: dejáronme salir, y quedaron diciendo que siempre lo temieron. Contaban al catalán y al portugués lo de aquellos que me venían a buscar; decían entrambos que eran demonios, y que yo tenía familiar; y cuando les contaban del dinero que yo había contado, decían que parecía dinero, pero que no lo era de ninguna suerte: persuadiéronle a ello. Yo saqué mi ropa y comida horra.

Di traza, con los que me ayudaron, de mudar de hábito y ponerme calza de obra y vestido al uso, cuello abierto y un lacayo en menudos (dos lacayuelos), que entonces era uso. Animáronme a ello, poniéndome por delante el provecho que se me seguiría de casarme con la ostentación a título de rico; y que era cosa que sucedía muchas veces en la corte; y aun añadieron que ellos me encaminarían parte conveniente, y con algún arcaduz por donde se guiase. Yo, negro, cudicioso de pescar mujer, determinéme.

Visité no sé cuántas almonedas, y compré mi adrezo de casar; supe dónde se alquilaban caballos, y espetéme en uno. El primer día, no hallé lacayo. Salíme a la calle Mayor, y púseme enfrente de una tienda de jaeces, como quien concertaba alguno. Llegáronse dos caballeros, cada cual con dos lacayos; preguntáronme si concertaba uno de plata que tenía en las manos. Yo solté la prosa, y con mil cortesías les detuve un rato; y al fin, dijeron que se querían ir al Prado a bureo un rato; y yo, que si no lo tenían a enfado, que los acompañaría. Dejé dicho al mercader que si llegasen allí mis pajes y un lacayo, que los encaminase al Prado; di señas de la librea, y metiéndome los dos en medio, caminamos. Yo iba considerando que a nadie que nos veía era posible determinar cúyos fuesen los lacayos, ni cuál era el que los llevaba. Empecé a hablar muy recio de las cañas de Talavera y de un caballo que tenía porcelana; encarecíales mucho el roldanejo que esperaba de Córdoba. En topando algún paje, caballo o lacayos hacía parar, y preguntaba cúyo era, y decía de las señas, etc., y si le querían vender; hacíale dar dos vueltas en la calle, y, aunque no la tuviese, le ponía una falta en el freno, y decía lo que había de hacer para remediarlo; y quiso mi ventura que topé muchas ocasiones de hacer esto. Y porque los otros iban embelesados, y, a mi parecer, diciendo: "¿Quién será este tagarote escuderón?" (porque el uno llevaba un hábito en los pechos, y el otro una rica cadena de diamantes, que era hábito y encomienda todo junto), dije yo que andaba en busca de buenos caballos para mí y para otro primo mío, que entrábamos en unas fiestas.

Llegamos al Prado, y en entrando, saqué el pie de estribo, y puse el talón por defuera, y empecé a pasear. Llevaba la capa echada sobre el hombro y el sombrero en la mano. Mirábanme todos; cuál decía: "Este yo le he visto a pie"; otro: "¡Hola!, lindo va el buscón." Yo hacía como que no oía nada, y pasaba.

Llegáronse a un coche de damas los dos, y pidiéronme que picardease un rato; dejéles el estribo de las mozas, y tomé el estribo de madre y tía. Eran las vejezuelas alegres: la una de cincuenta, y la otra de punto menos. Decíalas mil ternezas, y oíanme, que no hay mujer, por vieja que sea, que tenga tantos años como presunción. Prometílas regalos, y preguntélas por el estado de

aquellas señoras, y dijeron que doncellas: y se les echaba de ver
en la plática. Yo dije lo ordinario: que las viesen colocadas como
merecían; y agradóles mucho esto de *colocadas*. Preguntáronme
tras esto que en qué me entretenía en la corte; yo les dije, que
en huir de un padre y madre que me querían casar contra mi voluntad con mujer fea y necia y mal nacida, por el mucho dote:
"Y yo, señoras, quiero más una mujer limpia, en cueros, que una
judía poderosa; que por la bondad de Dios, mi mayorazgo vale al
pie de cuatro mil ducados de renta. Y si salgo con un pleito que
traigo en buenos puntos, no habré menester nada". Saltó tan presto la tía y dijo: "¡Ay, señor, y como le quiero bien! No se case
sino con su gusto y mujer de casta; que le prometo que con ser
yo no muy rica, no he querido casar mi sobrina, con haberla
salido ricos casamientos, por no ser de calidad. Ella pobre es, que
no tiene sino seis mil ducados de dote; pero no debe nada a
nadie en sangre."

—"Eso creo yo muy bien", dije yo.

Con esto las doncellitas remataron la conversación con pedir
de merendar a mis amigos:

Mirávase el uno al otro, y a todos tiembla la barba.

Yo, que vi ocasión, dije que echaba menos mis pajes, por no
tener con quién enviar a casa por unas cajas que tenía. Agradecié-
ronmelo; yo las supliqué se fuesen el día siguiente a la Casa del
Campo y que las enviaría algo fiambre. Acetaron luego; dijéronme su casa, y preguntaron la mía; y con tanto se apartó el
coche, y yo y los compañeros comenzamos a caminar a casa.
Ellos, que me vieron largo en lo de la merienda, aficionáronse;
y por obligarme, me suplicaron cenase con ellos aquella noche;
híceme algo de rogar, aunque poco, y cené con ellos, haciendo
buscar mis criados, y jurando de echarlos de casa. Dieron las
diez, y yo dije que era plazo de cierto martelo, y que así me
diesen licencia. Fuíme, quedando concertado de vernos a la tarde
en la Casa del Campo.

Fuí a dar el caballo al alquilador, y desde allí a mi casa; hallé
a los compañeros jugando quinolicas. Contéles el caso y el concierto hecho, y determinamos enviar la merienda sin falta y gastar

docientos reales en ella. Acostámonos con estas determinaciones; y yo confieso que no pude dormir en toda la noche con el cuidado de lo que había de hacer con el dote y lo que más me tenía en dudas era hacer dél una casa o darlo a censo, que no sabía yo cuál sería mejor y de más provecho.

CAPITULO XX

EN QUE SE PROSIGUE EL CUENTO, CON OTROS SUCESOS Y DESGRACIAS NOTABLES

Amaneció, y despertamos a dar traza en los criados, plata y merienda. En fin, como el dinero ha dado en mandarlo todo, y no hay quien le pierda el respeto, pagándoselo a un repostero de un señor, me dió plata, y la sirvió él y tres criados. Pasóse la mañana en adrezar lo necesario; y a la tarde ya yo tenía alquilado mi caballito. Tomé el camino a la hora señalada para la Casa del Campo; llevaba toda la pretina llena de papeles, como memoriales, y desabotonados seis botones de la ropilla, y asomados unos papeles. Llegué, y ya estaban allá las dichas y los caballeros y todo: recibiéronme ellas con mucho amor, y ellos llamándome de vos, en señal de familiaridad. Había dicho que me llamaba don Felipe Tristán, y en todo el día había otra cosa sino don Felipe acá, don Felipe allá. Yo comencé a decir que me había visto tan ocupado en un negocio de su majestad y cuentas de mi mayorazgo, que había temido el no poder cumplir; y que así, las apercibía a merienda de repente. En esto llegó el repostero con su jarcia, plata y mesas; los otros y ellas no hacían sino mirarme y callar. Mandéle que fuese al cenador y adrezase allí, que entre tanto nos íbamos a los estanques. Llegáronseme a mí las viejas a hacerme regalos, y holguéme de ver descubiertas las niñas, porque no he visto, desde que Dios me crió, tan linda cosa como aquella a quien yo tenía asestado el matrimonio: blanca, rubia, colorada, boca pequeña, dientes menudos y espesos, buena nariz, ojos rasgados y negros, alta de cuerpo, lindas manos. La otra no era mala, pero tenía más desenvoltura, y dábame sospechas de hocicada. Fuimos a los estanques, vímoslo todo, y por el discurso conocí que la mi desposada corría peligro en tiempo de Herodes, por inocente no sabía; pero como yo no quiero las mujeres para consejeras ni bufonas, sino para acostarme con ellas, y sin son feas y discretas, es lo mesmo que acostarse con Aristóteles o Séneca o con un libro, procúrolas de buenas partes para el arte de las ofensas. Llegamos cerca del cenador, y al pasar por una enramada, prendióseme en un árbol la guarnición del cuello y desgarróse un poco. Llegó la niña, y prendiómelo con un alfiler de plata; y dijo la madre que enviase el cuello a su casa al otro día, que doña Ana le adrezaría, que así se llamaba la niña. Estaba todo cumplidísimo: mucho que merendar, caliente y fiambre, principios y postres.

Merendóse alegremente; regalélas yo a todas y ellas a mí. Levantaron los manteles; y estando en esto vi venir un caballero con dos criados por la güerta adelante; y cuando no me cato, conocí a mi buen don Diego Coronel. Acercóse a mí, y como estaba en aquel hábito, no hacía sino mirarme; habló a las mujeres y tratólas de primas, y a todo esto no hacía sino mirarme. Yo me estaba con el repostero hablando; y los otros dos, que eran sus amigos, estaban en gran conversación con él. Preguntóles —según se echó después de ver— mi nombre, y ellos dijeron: "don Felipe Tristán, un caballero muy honrado y rico." Víale yo santiguarse. Al fin, delante de ellas y de todos, se llegó a mí, y dijo: "Vuesa merced me perdone; que por Dios que le tenía, hasta que supe su nombre, por bien diferente de lo que es; que no he visto cosa más parecida a un criado que yo tuve en Segovia, que se llamaba Pablos, hijo de un barbero." Riéronse todos mucho, y yo esforcéme, para que no me desmintiese la color; y díjele que tenía deseo de ver aquel hombre, porque me habían dicho infinitos que le era parecidísimo. "¡Jesús! —decía don Diego—. ¿Cómo parecido? En el talle, en la habla, en los meneos, no he visto tal cosa. Digo, señor, que es admiración grande, y que no se ha visto otra cosa tan parecida jamás." Entonces las viejas, tía y madre, dijeron que cómo era posible que a un caballero tan principal se pareciese un pícaro tan bajo como aquél; y porque no sospechase nada de ellas, dijo la una: "Yo le conozco muy bien al señor don Felipe, que es el que nos hospedó, por orden de mi marido, que fué grande amigo suyo, en Ocaña." Yo entendí la letra, y dije que mi voluntad era y sería de servirlas con mi poca posibilidad en todas partes. El don Diego se me ofreció, y me pidió perdón del agravio que me había hecho en tenerme por el

hijo del barbero, y añadía: "No creerá vuesa merced: su madre
era hechicera, su padre ladrón, su tío verdugo, y él, el más ruin
hombre y el más mal inclinado que Dios tiene en el mundo." ¿Qué
sentiría yo, oyendo decir de mí en mi cara tan afrentosas cosas?
Estaba —aunque lo disimulaba— como en brasas. Tratamos de
venirnos al lugar. Yo y los otros dos nos despedimos, y don Diego
se entró con ellas en el coche. Preguntólas que qué había sido la
merienda y el estar conmigo; y la madre y tía le dijeron cómo
yo era un mayorazgo de tantos mil ducados de renta, y que me
quería casar con Anica; que se informase, y vería si era cosa,
no sólo acertada, sino de mucha honra para todo su linaje. En
esto pasaron el camino hasta su casa, que era en la calle del
Arenal, a San Felipe.

Nosotros nos fuimos a casa juntos como la otra noche. Pidiéronme que jugase, cudiciosos de pelarme; yo entendí la flor
y sentéme; sacaron naipes —estaban hechos—; perdí una mano,
di en irme por abajo, y ganéles cosa de trecientos reales; y con tanto
me despedí y vine a mi casa.

Topé a mis compañeros, licenciado Brandalagas y Pero López,
los cuales estaban estudiando en unos dados algunas tretas. En
viéndome lo dejaron, cudiciosos de preguntarme lo que me había
sucedido. Yo venía cariacontecido y encapotado; no les dije más
de que me había visto en grande aprieto: contéles cómo había
topado a don Diego, y lo que me había acontecido; consoláronme,
aconsejándome que disimulase y no desistiese de la pretensión por
ningún caso.

En esto supimos que se jugaban, en casa de un vecino boticario,
juego de parar o pintas; entendíalo yo entonces razonablemente,
porque tenía más flores que un mayo y barajas hechas, lindas.
Determiné de irles a dar un muerto (que así se llama el enterrar
una bolsa). Envié los amigos delante; entraron en la pieza, y dijeron que si gustarían jugar con un fraile benito, que acababa de
llegar a curarse en casa de unas primas suyas, que venía enfermo
y traía mucho del real de al ocho y escudos. Crecióles a todos
el ojo, y clamaron:

"Venga el fraile en hora buena.

-Es hombre grave en la orden —replicó Pero López—, y
como ha salido, se quiere entretener, que él más lo hace por la
conversación.

—Venga por lo que fuere.

—No han de entrar más de fuera, por el recato... —dijo Brandalagas.

—No hay tratar más", dijo el huésped.

Con esto ellos quedaron ciertos del caso, y creída la mentira. Vinieron los acólitos, y ya yo estaba con un tocador en la cabeza y mi hábito de fraile benito, unos anteojos y mis barbas, que por ser atusadas no desayudaban. Entré muy humilde, sentéme, empezóse el juego; ellos levantaban bien: iban tres al mohino; pero quedaron mohinos los tres, porque yo, que sabía más que ellos, les di tal gatada, que en espacio de tres horas me llevé más de mil y trecientos reales. Di baratos, y con mi "loado sea nuestro Señor" me despedí, encargándoles que no recibiesen escándalo de verme jugar, que era entretenimiento y no otra cosa. Los otros, como habían perdido cuanto tenían, dábanse a mil diablos; despedíme, salímonos fuera.

Venimos a casa a la una y media de la noche, y acostámonos después de haber partido la ganancia. Consoléme con esto algo de lo sucedido, y a la mañana me levanté a buscar mi caballo, y no hallé por alquilar ninguno, por lo cual conocí que había otros muchos como yo. Pues andar a pie parecería mal y más agora, fuíme hacia San Felipe, y topé con un lacayo que tenía un caballo de un letrado, y le aguardaba, que se había acabado de apear a oír misa; metíle cuatro reales en la mano, porque mientras su amo estaba en la iglesia me dejase dar dos vueltas con el caballo por la calle del Arenal; dílas arriba y abajo, sin ver nada; y al dar la tercera vuelta, asomóse doña Ana. Yo, que la vi —y no sabía las mañas del caballo, ni era buen jinete—, quise hacer galanterías; díle dos varazos, tiréle de la rienda; empinóse, y dió luego dos coces; y apretó a correr, y dió conmigo por las orejas en un charco. Yo, que me vi así, y rodeado de niños que se habían allegado, y delante de mi señora, comencé a decir: "¡Oh hi de puta, no fuérades vos valenzuela! Estas temeridades me han de acabar; habíanme dicho las mañas, y quise porfiar con él." Traía el lacayo ya el caballo, que se paró luego; yo torné a subir, y ya al ruido estaba a la ventana don Diego Coronel, que vivía en la misma casa de sus primas. Yo, que le vi, me demudé. Preguntóme si había sido algo; dije que no, aunque tenía estropeada una pierna. Dábame el lacayo priesa, porque no saliese su amo y le viese, que había de ir a palacio; y soy tan desgraciado, que estando en el caballo diciéndome que nos fuésemos, llega por detrás el letradillo, y conociendo su rocín, arremete al lacayo y empieza a darle de puñadas, diciendo en altas voces que qué bellaquería era dar su caballo a nadie; y lo peor fué que, volviéndose a mí, me dijo que me apease con Dios, muy enojado. Todo pasaba a vista de mi dama y de don Diego; no se ha visto en tanta vergüenza ningún azotado. Estaba tristísimo de ver dos desgracias tan grandes en un palmo de tierra. Al fin me hube de apear; subió el letrado, y fuese; y yo, por hacer la deshecha, quedéme hablando desde la calle con don Diego, y dije:

"En mi vida subí en tan mala bestia. Está ahí en San Felipe mi caballo el overo, y es desbocado y forzado en la carrera; dije cómo yo le corría y hacía parar; dijeron que allí estaba otro en que no lo haría (y era deste licenciado); quise probarlo: no se puede creer qué duro es de caderas, y con tan mala silla, fué milagro no matarme.

—Sí fué —dijo don Diego—; y con todo, parece que se siente vuesa merced de esa pierna.

—Sí siento —dije yo—, y me querría ir a tomar mi caballo."

La muchacha quedó satisfecha y con lástima de mi caída; mas el don Diego cobró mala sospecha de lo del letrado, y fué total causa de mi desdicha, fuera de otras muchas que me sucedieron. Y la mayor y fundamento de las otras fué que cuando llegué a casa, y fuí a ver un arca adonde tenía en una maleta todo el dinero que me había quedado de mi herencia y lo que había ganado —menos cien reales que yo traía conmigo—, hallé que el buen licenciado Brandalagas y Pero López habían cargado con ello, y no parecieron. Quedé como muerto, sin pensar qué consejo tomar de mi remedio. Decía entre mí: "¡Malhaya quien fía en hacienda mal ganada, que se va como se viene! ¡Triste de mí! ¿Qué haré?" Ni sabía si irme a buscarlos, si dar parte a la justicia. Esto no me parecía, porque si los prendían, habían de declarar lo del hábito y otras cosas, y era morir en la horca; pues seguirlos, no sabía por dónde.

Al fin, por no perder también el casamiento —que ya yo me consideraba remediado con el dote—, determiné de quedarme, y apretarlo sumamente. Comí, y a la tarde alquilé un caballo; y fuíme hacia la calle de mi dama. Y como no llevaba lacayo, por no pasar sin él, aguardaba a la esquina, antes de entrar, a que pasase algún hombre que lo pareciese; y en entrando partía detrás dél, haciéndole lacayo sin serlo; y en llegando al fin de la calle, poníame detrás de la esquina, aguardando a que volviese otro que lo pareciese.

Al fin yo no sé si fué la fuerza de la verdad de ser yo el mismo pícaro que sospechaba don Diego, o si fué la sospecha del caballo del letrado, o si fué que don Diego se puso a inquirir quién era y de qué vivía, y me espiaba; al fin, tanto hizo, que por el más extraordinario camino del mundo supo la verdad; porque yo apretaba lo del casamiento por papeles bravamente; y él, acosado de ellas, que tenían deseo de acabarle, andando en mi busca, topó con el licenciado Flechilla —que fué el que me convidó a comer cuando yo estaba con los caballeros—; y éste, enojado de como yo no le había vuelto a ver, hablando con don Diego, y sabiendo cómo yo había sido su criado, le dijo cómo había estado con él, y cómo había dos días que me había topado a caballo muy bien puesto, y le había contado cómo me casaba riquísimamente. No aguardó más don Diego, y partiendo para su casa, encontró con aquellos dos caballeros amigos míos, el del hábito y el de la cadena, junto a la Puerta del Sol, y contóles lo que pasaba; y díjoles que se aparejasen, y que a la noche en viéndome en la calle, que me magullasen los cascos, y que me conocerían en la capa que él traía, que la llevaría yo. Concertáronse, y en entrando en la calle, topáronme; y disimularon de tal suerte los tres, que jamás pensé que éramos tan amigos como entonces. Estuvímonos en buena conversación, tratando de lo que sería bien hacer a la noche, hasta el avemaría. Entonces despidiéronse los dos, y echaron hacia abajo; y yo y don Diego quedamos solos, y echamos a San Felipe. Llegando a la entrada de la calle de la Paz, dijo don Diego:

—"Por vida de don Felipe, que troquemos capas, que me importa pasar por aquí y que no me conozcan.

—"Sea en buen hora", dije yo. Tomé la suya inocentemente, y dile la mía; ofrecíle mi persona para hacerle espaldas; mas él —que tenía trazado el deshacerme las mías— dijo que le importaba el ir solo, que me fuese yo, y no me hube bien apartado, cuando ordena el diablo que dos que a él le aguardaban para darle de cintarazos por una mujercilla, entendiendo, por la capa, que era don Diego, levantan y empiezan una lluvia de cintarazos sobre mis espaldas y cabeza, que di voces; y en ellas y la cara conocieron que no era yo don Diego. Huyeron, y yo me quedé en la calle y con los palos; disimulé tres o cuatro chichones que tenía, y detúveme un rato, que no me atreví a entrar en la calle de miedo. Al fin, a las doce —que era la hora en que solía hablar con mi niña—, llegué a la puerta, y en emparejando, cierra uno de los dos que me aguardaban por don Diego, con un garrote, y dame dos palos en las piernas, que me derribó en el suelo; y llega el otro, y dame un chirlo de oreja a oreja, y quítanme la capa y déjanme en el suelo, diciendo: "Así pagan los pícaros embusteros mal nacidos." Comencé a dar gritos y a pedir confesión; y como no sabía lo que era —aunque sospechaba por las palabras que acaso era el huésped de quien me había salido con la traza de la Inquisición, o el carcelero burlado, o mis compañeros huídos; y al fin yo esperaba de tantas partes la cuchillada, que no sabía a quién echársela (pero nunca sospeché en don Diego ni en lo que era)—, daba voces: "¡A los capeadores!", y a ellas vino la justicia; levantáronme, y viendo mi cara con una cuchillada de un palmo y sin capa, ni saber lo que era, asiéronme para llevarme a curar. Metiéronme en casa de un barbero, curóme, preguntáronme dónde vivía y lleváronme allá.

Acostáronme y quedé aquella noche confuso, viendo mi cara partida en dos pedazos, y tan lisiadas las piernas, de los palos, que no me podía tener en ellas. Yo quedé herido, robado, y de manera que ni podía seguir a los amigos, ni tratar del casamiento, ni estar en la corte, ni ir fuera.

CAPITULO XXI

He aquí a la mañana amanace a mi cabecera la huéspeda de casa, vieja de buena edad (el mazo: cincuenta y cinco), con su rosario grande y su cara hecha en orejón o en cáscara de nuez, según estaba arrugada. Tenía buena fama en el lugar, y echábase a dormir con ella y con cuantos querían templar sus gustos. Llamábase María de la Guía; alquilaba su casa, y era corredora para alquilar otras. En todo el año no se vaciaba la posada de gente. Era de ver cómo ensayaba una muchacha en el taparse. Lo primero enseñábala cuáles cosas había de descubrir de su cara; a las de buenos dientes, que se riesen siempre, aunque fuese en los pésames; a las de buenas manos, se las enseñaba a esgrimir; a las rubias enseñaba un bamboleo de cabellos y un asomo de guedejas por el manto y por la toca; a las de buenos ojos, lindos bailes con las niñas y dormidillos, cerrándolos; y elevaciones, mirando arriba. Pues tratada en materia de afeites, cuervos entraban, y las corregían las caras de manera que, al entrar en sus casas, de puro blancas no las conocían los maridos; y en lo que ella era más extremada era en hacer doncellas no lo siendo. En solos ocho días que yo estuve en casa la vi hacer todo esto y (para remate de lo que era) enseñar a pelar, y refranes que dijesen, a las mujeres. Allí les decía cómo habían de encajar la joya: las niñas por gracia, las mozas por deuda, y las viejas por respeto y obligación. Enseñaba pediduras para dinero seco, y pediduras para cadenas y para sortijas. Citaba a la Vidaña, su concurrente en Alcalá, y a la Placiosa, en Burgos, mujeres de todo embuste. Esto he dicho para que se me tenga lástima de ver a las manos que vine, y se ponderen mejor las razones que me dijo; y empezó por estas palabras —que siempre nablaba por refranes—: "De do sacan y no pon, hijo don Feli-

pe, presto llegan al hondón; de tales polvos, tales lodos; de tales
bodas, tales tortas. Yo no te entiendo, ni sé tu manera de vivir;
mozo eres, y no me espanto que hagas algunas travesuras, sin
mirar que, durmiendo, caminamos a la huesa: yo, como montón
de tierra, te lo puedo decir. ¿Qué cosa es que me digan a mí que
has desperdiciado mucha hacienda sin saber cómo, y que te han
visto aquí ya estudiante, ya pícaro, ya caballero, y todo por las
compañías? Dime con quién andas, y diréte quién eres; cada
oveja con su pareja; sábete hijo, que de la mano a la boca se
pierde la sopa. Anda, bobillo, que si te inquietaban mujeres,
bien sabes tú que soy yo fiel perpetua en esta tierra de esa mer-
cadería, y fué mi sustento de las posturas. Hijo mío, lo fino y lo
verdadero es no andarte con un pícaro y otro pícaro, tras una
alcorzada y otra redomada, que gaste las faldas con quien hace
sus mangas. Yo te juro que hubieras ahorrado muchos ducados,
si te hubieras encomendado a mí, porque no soy nada amiga
de dineros; y por mis enterrados y difuntos (que ansí yo haya
buen acabamiento), que aun lo que me debes de la posada,
no te lo pidiera ahora, a no haberlo menester para unas cande-
licas y hierbas"; que trataba en botes sin ser boticaria, y si la
untaban las manos, se untaba y salía de noche por la ventana
del humo.

Yo que vi que acabó la plática y sermón en pedirme —que
con ser su tema, acabó en él, y no empezó, como todos hacen—,
no me espanté de la visita, que no me la había hecho otra vez
mientras había sido su huésped, sino fué un día que me vino a
dar satisfaciones de que había oído que me habían dicho no
sé qué de hechizos, y que la quisieron prender, y se escondió.
Al fin me vino a desengañar y a decir que era otra Guía; que
no es de espantar, que con tales guías vamos todos descamina-
dos. Yo la conté su dinero; y estándoselo dando, la desventura,
que nunca me olvida, y el diablo, que se le acuerda de mí, trazó
que la venían a prender por amancebada, y sabían que estaba el
amigo en casa. Entraron en mi aposento, y como me vieron
en la cama, y ella conmigo, cerraron con ambos y diéronme cuatro o seis empellones muy grandes, y arrastráronme fuera de la
cama; a ella la tenían asida otros dos, tratándola de alcahueta y
bruja. ¡Quién tal pensara de una mujer que hacía la vida refe-
rida! A la voz de el alguacil, y a mis quejas, el amigo, que era

un frutero que estaba en un aposento de adentro, dió a correr.
Ellos que lo vieron, y supieron —por lo que decía otro huésped
de casa—, arrancaron tras el pícaro y asiéronle, y dejáronme
a mí repelado y apuñeteado; y con todo mi trabajo, me reía de lo
que los pícaros decían a la Guía, porque uno la miraba y la
decía: "¡Qué bien os estará una mitra, madre, y lo que me hol-
garé de veros consagrar tres mil nabos a vuestro servicio!" Otro:
"Ya tienen escogidas plumas los señores alcaldes, para que en-
tréis bizarra". Al fin trajeron al picarón, y atáronlos a entrambos; pidiéronme perdón, y dejáronme solo.

Yo quedé algo aliviado de ver a mi buena huéspeda en el
estado que tenía los negocios; y así, no tenía otro cuidado sino
el de levantarme a tiempo que la tirase yo mi naranjazo; aunque —según las cosas que contaba una criada que quedó en
casa—yo desconfié de su prisión, porque me dijo no sé qué
de volar, y otras cosas que no me sonaron bien. Estuve en la
casa curándome ocho días, y apenas podía salir; diéronme doce
puntos en la cara, y hube de ponerme muletas.

Halléme sin dinero, porque los cien reales se consumieron
en la cura y la comida y la posada; y así, por no hacer más gasto, no teniendo dinero, determiné de salirme con dos muletas de
la casa, y vender mi vestido, cuellos y jubones, que era muy
bueno. Hícelo, y compré con lo que me dieron un coleto de
cordobán viejo y un jubonazo de estopa famoso, mi gabán de
pobre, remendado y largo, y mis polainas y zapatos grandes, con
la capilla del gabán en la cabeza; un Cristo de bronce traía colgado del cuello. Impúsome en la voz y frasis doloridas de pedir
un pobre que entendía del arte mucho; y así, comencé luego a
ejecutallo por las calles. Cosíme sesenta reales, que me sobra-
ron, en el jubón; y con esto me metí a pobre, fiado en mi buena
prosa. Anduve ocho días por las calles aullando en esta forma,
con voz dolorida y reclamamiento de plegarias: "Dadle, buen
cristiano, siervo del Señor, al pobre lisiado y llagado; que me
veo y me deseo". Esto decía los días de trabajo; pero los de fiesta
comenzaba con diferente voz, y decía: "Fieles cristianos devotos
del Señor, por tan alta princesa como la Reina de los Ángeles,
Madre de Dios, dadle una limosna al pobre tullido y lastimado
de la mano del Señor". Y paraba un poco, que es de grande
importancia, y luego añadía: "Un aire corruto, en hora mengua-

da, trabajando en una viña, me trabó mis miembros; que me vi
sano y bueno, como se ven y se vean, loado sea el Señor".

Venían con esto los ochavos trompicando, y ganaba mucho
dinero; y ganara más, si no se me atravesara un mancebón mal
encarado, manco de los brazos y con una pierna menos, que
me rondaba las mismas calles en un carretón, y cogía más limosna con pedir mal criado. Decía con voz ronca, rematando en
chillido: "Acordaos, siervos de Jesucristo, del castigado del Señor por sus pecados; dadle al pobre lo que Dios reciba"; y añadía: "Por el buen Jesú", y ganaba que era un juicio. Yo advertí,
y quité la s, y no decía más de Jesú; y movía a más compasión.
Al fin, yo mudé de frasis, y cogía maravillosa mosca.

Llevaba metidas entrambas piernas en una bolsa de cuero
y liadas, y mis dos muletas. Dormía en un portal de un cirujano
con un pobre de cantón, uno de los mayores bellacos que Dios
crió, estaba riquísimo, y era como nuestro retor; ganaba más
que todos. Tenía una potra muy grande, y atábase con un cordel
el brazo por arriba, y parecía que tenía hinchada la mano y
manca, y calentura, todo junto. Poníase echado boca arriba en
su puesto y con la potra defuera, mayor que la mayor bola de
bolos y aun de puente, y decía: "¡Miren la pobreza y el regalo
que hace Dios al cristiano!" Si pasaba mujer, decía: "¡Ah, señora hermosa, sea Dios en su ánima!"; y las más, porque las
llamase así, le daban limosna, y pasaban por allí aunque no
fuese camino para sus visitas. Si pasaba un soldado decía: "¡Ah,
señor capitán!" y si otro hombre cualquiera: "¡Señor caballero!"
Y si iba alguno en coche, luego le llamaba señoría, a otros exce-
lencia; si era clérigo en mula "señor arcediano"; al fin él adula-
ba terriblemente. Tenía diferente modo para pedir los días de
los santos. Y vine a tener tanta amistad con él, que me descu-
brió un secreto, conque en dos días estuvimos ricos y era que
este tal pobre tenía tres muchachos pequeños, que recogían limosna por las calles y hurtaban lo que podían; dábanle cuenta
a él, y todo lo guardaba; y iba a la parte con dos niños de cajuela en las sangrías que hacían de ellas.

Yo tomé el mismo arbitrio, y él me encaminó la gentecita a
propósito. Halléme en menos de un mes con más de ducientos
reales horros; y últimamente me declaró —con intento de que
nos fuésemos juntos— el mayor secreto y la más alta industria

que cupo en mendigo, y hicímosla entrambos; y era que hurtábamos niños cada día entre los dos, cuatro o cinco; pregonábanlos, y salíamos nosotros a preguntar las señas y decíamos: "Señor, por cierto, que le topé a tal hora, y que si no llego, que le mata un carro; en casa está". Dábamos el hallazgo; y venimos a enriquecer de manera, que me hallé con más de cincuenta escudos, y ya sano de las piernas, aunque las traía entrapajadas.

Determiné de salirme de la corte y tomar mi camino para Toledo, donde ni yo conocía, ni me conocía nadie. Compré un vestidillo pardo y cuello y espada, y despedíme de Baltasar —que era el pobre que dije—, y busqué por los mesones en qué ir a Toledo.

CAPÍTULO XXII

EN QUE ME HAGO REPRESENTANTE, POETA Y GALÁN DE MONJAS, CUYAS PROPIEDADES SE DESCUBREN LINDAMENTE

Topé en el paraje una compañía de farsantes que iban a Toledo; llevaban tres carros, y quiso Dios que entre los compañeros iba uno que lo había sido mío en el estudio de Alcalá; había renegado y metídose al oficio. Díjele lo que me importaba ir allá y salir de la corte; y apenas el hombre me conocía con la cuchillada, y no hacía sino santiguarse de mí *per signum crucis*. Al fin me hizo amistad —por mi dinero— de alcanzar de los demás lugar para que yo fuese con ellos. Íbamos barajados hombres y mujeres, y una entre ellas, gran bailarina (que también hacía las reinas y papeles graves en las comedias), me pareció estraña sabandija. Acertó a estar su marido a mi lado; y yo, sin pensar con quién hablaba, llevado del deseo de amor y gozarla, díjele: "Suplico a vuesa merced que me diga ¿a esta mujer, por qué orden la podríamos hablar para gastar con su merced unos veinte o treinta escudos, que me ha parecido hermosa?" Díjome el buen hombre: "No me está a mí bien el decirlo, porque soy su marido, ni tratar de eso; pero sin pasión (que no me mueve ninguna), se puede gastar con ella cualquier dinero, porque tales carnes no las tiene el suelo, ni tan juguetoncita"; y en diciendo esto saltó del carro y fuése al otro, según pareció, por darme lugar a que la hablase. Cayóme en gracia la respuesta del hombre, y eché de ver que éstos son de los que dijera algún bellaco que, torciendo la sentencia a mal fin, cumplen el precepto de San Pablo de tener mujeres como si no las tuviesen. Yo gocé de la ocasión, habléla y preguntóme que dónde iba, y algo de mi vida. En fin, tras muchas palabras, dejamos concertadas para Toledo las obras.

Íbamonos holgando por los caminos mucho; y acaso comencé

a representar un pedazo de la comedia de San Alejo, que me
acordaba de cuando muchacho; y representélo de suerte que les
di cudicia; y sabiendo, por lo que yo le dije a aquel amigo que
iba en la compañía, mis desgracias y descomodidades, díjome si
quería entrar en la danza con ellos. Encarecióme tanto la vida
de la farándula; yo, que tenía necesidad de arrimo, y me había
parecido bien la moza, concertéme por dos años con el autor;
hícele escritura de estar con él, y dióme mi ración y representa-
ciones. Y con tanto llegamos a Toledo.

Diéronme que estudiase tres loas, y papeles de barba, que los
acomodaba bien con mi voz. Yo puse cuidado en todo, y eché la
primera loa en el lugar; era de una nave —de lo que son todas—
que venía destrozada y sin provisión; decía lo de: "Este es puerto"; llamaba a la gente "senado"; pedía perdón de "estas faltas"
y silencio, y entréme. Hubo un vítor de rezado, y al fin parecí bien
en el tablado.

Representamos una comedia de un representante nuestro, que
yo me admiré de que fuesen poetas, porque pensaba yo que el
serlo era de hombres muy doctos y sabios, y no de gente tan
sumamente lega; y está ya de manera esto, que no hay autor que
no escriba comedias, ni representante que no traiga su farsa de
moros y cristianos; que me acuerdo yo antes, que si no eran
comedias del famoso Lope de Vega y Ramón, no había otra
cosa. Al fin, hízose el primer día la comedia, y no la entendió
nadie; el segundo día empezámosla, y quiso Dios que empezaba
por guerra, y salía yo armado y con una rodela que si no, a
manos del mal membrillo, troncho y badeas, acabo como los otros.
No se ha visto tal torbellino; y ello merecíalo la comedia, porque
traía un rey de Normandía, sin propósito, en hábito de ermitaño;
y metía dos lacayos por hacer reír; y al desatar de la maraña no
había más de casarse todos, y allá vas. Al fin tuvimos nuestro
merecido. Tratamos todos muy mal al compañero poeta; y yo,
principalmente, diciéndole que mirase de la que habíamos escapado, y escarmentase; díjome que juraba a Dios que no era suyo
nada de la comedia, sino que de un paso tomado de uno y otro,
había hecho aquella capa de pobre, de remiendos; y que el daño
no había estado sino en lo mal zurcido. Confesóme que los farsantes que hacían comedias, les obligaba en todo a restitución,
porque se aprovechaban de cuanto habían representado, y que

era muy fácil; que el interés de sacar trecientos o cuatrocientos reales obligaba a aquellos riesgos; lo otro, que como andaban por esos lugares, les leen unos y otros comedias: "tomámoslas para verlas, llevámonoslas, y con añadir una necedad y quitar una cosa bien dicha, decimos que es nuestra". Y declaróme cómo no había habido jamás farsante que supiese hacer una copla de otra manera y no me pareció mal la traza.

Yo confieso que me incliné a ella por hallarme con algún natural a la poesía, y más que tenía yo conocimiento con algunos poetas, y había leído a Garcilaso; y así, determiné de dar en el arte. Y con esto y la farsanta y representar, pasaba la vida; que pasado un mes que había que estábamos en Toledo haciendo comedias buenas, y enmendando el yerro pasado, ya yo tenía nombre, y habían llegado a llamarme *Alonsete,* que yo había dicho llamarme Alonso; y por otro nombre me llamaban el *Cruel,* por una figura de serlo, que había hecho con gran aceptación de los mosqueteros y chusma vulgar. Tenía ya tres pares de vestidos, y autores que me pretendían y sonsacaban de la compañía; hablaba ya de entender la comedia, murmuraba de los famosos, reprehendía los gestos a Pinedo, daba mi voto en el reposo natural de Sánchez, llamaba bonico a Morales; pedíanme el parecer en el adorno de los teatros y trazar las apariencias. Si alguien venía a leer comedias, yo era el que las oía.

Al fin, animado con este aplauso, me desvirgué de poeta en un romancico, y luego hice un entremés, y no pareció mal. Atrevíme a una comedia, y porque no escapase de ser divina cosa, la hice de Nuestra Señora del Rosario. Comenzaba con chirimías, y había sus ánimas de purgatorio y sus demonios, que se usaban entonces. Caíale muy en gracia al lugar el nombre de *Satán* en las coplas, y el tratar luego de si cayó del cielo, y tal. En fin, mi comedia se hizo y pareció muy bien.

No me daba manos a trabajar, porque acudían a mí enamorados, unos por coplas de cejas, otros de ojos; cuál, soneto de manos, y cuál, romancico para cabellos. Para cada cosa tenía su precio, aunque como había otras tiendas, porque acudiesen a la mía, hacía barato. ¿Pues villancicos? Hervían sacristanes y demandaderas de monjas; ciegos me sustentaban a pura oración —ocho reales de cada una—; y me acuerdo que hice entonces la del Justo Juez, grave y sonora, que provocaba a gestos. Es-

cribí para un ciego, que las sacó en su nombre, las famosas que
empiezan:

> Madre del Verbo humanal
> hija del Padre divino,
> dame gracia virginal, etc.

Fuí el primero que introdujo acabar las coplas, como los sermones, con *aquí gracia y después su gloria,* en esta copla de un
cautivo de Tetuán:

> Pidámosle sin falacia
> al alto Rey sin escoria,
> pues ve nuestra pertinacia,
> que nos quiera dar su gracia,
> y después allá su gloria. Amén.

Estaba viento en popa con estas cosas, rico y próspero; y
tal, que casi aspiraba ya a ser autor. Tenía mi casa muy bien
adrezada, porque había dado —para tener tapicería barata—,
en un arbitrio del diablo, y fué de comprar reposteros de ta-
bernas y colgarlos; costáronme veinte o treinta reales, y eran
más para ver que cuantos tiene el rey, pues por éstos se veía
de puros rotos, y por esotros no se verá nada.

Sucedióme un día la mejor cosa del mundo, que, aunque es
en mi afrenta, la he de contar. Yo me recogía en mi posada, el
día que escribía comedia, al desván, y allí me estaba y allí comía; subía una moza con la vianda, y dejábamelo allí. Yo tenía
por costumbre escribir representando recio, como si lo hiciera
en el tablado. Ordena el diablo que, a la hora y punto que la
moza iba subiendo por la escalera —que era angosta y obscura—,
con los platos y olla, yo estaba en un paso de una montería, y
daba grandes gritos componiendo mi comedia y diciendo:

> ¡Guarda el oso, guarda el oso,
> que me deja hecho pedazos,
> y baja tras tí furioso!

¿Qué entendió la moza —que era gallega—, como oyó decir
"baja tras ti"? Que era verdad, y que avisaba; va a huir, y con
la turbación písase la saya, rueda toda la escalera, derrama la
olla y quiebra todos los platos, y sale dando gritos a la calle,

diciendo que mataba un oso a un hombre. Por presto que yo
acudí, ya estaba toda la vecindad conmigo, preguntando por el
oso; y contándoles yo cómo había sido ignorancia de la moza
—porque era lo que he referido de la comedia—, no lo querían
creer. No comí aquel día. Supiéronlo los compañeros, y fué ce-
lebrado el cuento en la ciudad. Y destas cosas me sucedieron
muchas, mientras perseveré en el oficio de poeta, y no salí del
mal estado. Sucedió, pues, que a mi autor —que siempre paran
en esto—, sabiendo que en Toledo le había ido bien, le ejecuta-
ron por no sé qué deudas, y le pusieron en la cárcel; con lo cual
nos desmembramos todos, y echó cada uno por su parte. Yo
—si va a decir verdad—, aunque los compañeros me querían
guiar a otras compañías, como no aspiraba a semejantes oficios,
y el dar en ellos era por necesidad, ya que me veía con dineros
y bien puesto, no traté más que de holgarme.

Despedíme de todos; fuéronse; y yo, que entendí salir de
mala vida con no ser farsante, si no lo ha vuesa merced por
enojo, di en amante de red, y por hablar más claro, en preten-
diente de Antecristo, que es lo mismo que galán de monjas. Tuve
ocasión de dar en esto, porque una, a cuya ocasión había hecho
yo unos villancicos, se aficionó en un auto del Corpus, de mí,
viéndome representar un San Juan Evangelista, que lo era ella.
Regalábame la mujer con cuidado, y habíame dicho que sólo
sentía que fuese farsante —porque yo había fingido que era hijo
de un gran caballero—, y dábala compasión. Al fin, me determiné de escribirla la siguiente

CARTA

"Más por agradar a vuesa merced que por hacer lo que me
importaba, he dejado la compañía; que para mí cualquiera sin
la suya es soledad ya seré tanto más suyo, cuanto soy más mío.
Avíseme vuesa merced cuándo habrá locutorio, y sabré junta-
mente cuándo tendré gusto, etc.".

Llevó el billetico una demandadera. No se podrá creer el
contento de la buena monja sabiendo mi nuevo estado; y respondióme lo siguiente:

RESPUESTA

"De sus buenos sucesos de vuesa merced, antes aguardo los parabienes que los doy; y me pesara dello, a no saber que mi voluntad y su provecho es todo uno. Podemos decir que ha vuelto en sí; no resta ahora sino perseverancia que se mida con la que yo tendré. El locutorio dudo por hoy, pero no deje vuesa merced de venirse a vísperas, que allí nos veremos, y luego por las vistas; y quizá podré yo hacer alguna trampilla a la abadesa. Y adiós".

Contentóme el papel, que realmente la monja tenía buen entendimiento y era hermosa. Comí, y púseme el vestido con que solía hacer los galanes en las comedias. Fuíme derecho a la iglesia, recé y luego empecé a repasar todos los lazos y agujeros de la red con los ojos, para ver si parecía; cuando Dios y en hora buena —que más era diablo, y en hora mala—, oigo la seña antigua: empieza a toser, y yo a toser; y andaba una tosidura del diablo, que parecía habían echado pimiento en la iglesia. Al fin, yo estaba cansado de toser, cuando se me asoma a la reja una vieja tosiendo, y echo de ver mi desventura; que es peligrosísima señal en los conventos, porque como es seña a las mozas, es costumbre en las viejas; y hay hombre que piensa que es reclamo de ruiseñor, y le sale después graznido de cuervo. Estuve un gran rato en la iglesia, hasta que empezaron vísperas; oílas todas, que por esto llaman a los galanes de monjas *solemnes* enamorados, por lo que tienen de vísperas; y tienen también que nunca salen de vísperas del contento, porque no les llega el día jamás. No se creerá los pares de vísperas que yo oí; estaba con dos varas de gaznate más del que tenía cuando entré en los amores, a puro estirarme para ver. Fuí gran compañero del sacristán y monacillo, y muy bien recibido del vicario, que era hombre de humor. Andaba tan tieso, que parecía que almorzaba asadores y que comía virotes.

Fuíme a las vistas, y allí —con ser una plazuela bien grande— era menester enviar a tomar lugar a las doce, como comedia nueva hervían devotos. Al fin me puse como pude; podíase ir a ver las diferentes posturas de los amantes: cuál, sin pestañear, mirando, con su mano puesta en la espada y la otra en el rosario, estaba como figura de piedra sobre sepulcro; otro, alzadas

las manos y extendidos los brazos a lo seráfico, recibiendo las
llagas; cuál, con la boca más abierta que la de mujer pedigüeña,
sin hablar palabra, le enseñaba a su querida las entrañas por
el gaznate; otro, pegado a la pared, dando pesadumbre a los
ladrillos, que parecía medirse con la esquina; otro, se paseaba
como si le hubieran de querer por el portante, como a macho;
otro, con una carta en la mano, a uso de cazador con carne, que
parecía llamaba al halcón. Los celosos era otra banda: éstos,
unos estaban en corrillos, riéndose y mirándolas; otros, leyendo
coplas y enseñándolas; cuál, para dar picón, pasaba por el terreno con una mujer de la mano; y cuál hablaba con una criada
echadiza que le daba un recado. Esto era de la parte de abajo;
pero de la de arriba, adonde estaban las monjas, era cosa de
ver también; porque las vistas era una torrecilla llena toda de
rendijas, y una pared con deshilados, que ya parecía salvadera,
ya pomo de olor. Estaban todos los agujeros poblados de brú-
julas: allí se veía una pepitoria, una mano o un pie; en otra
parte había cosas de sábado: cabezas y lenguas, aunque faltaban
sesos; a otro lado se mostraba buhonería: una mostraba el rosario, otra, el pañizuelo; en otra parte asomaba un guante; por
otra, un listón verde; unas hablaban algo recio otras tosían; cuál
hacía la seña de los sombrereros (como si sacara arañas), ce-
ceando.

En verano es de ver cómo no sólo se calientan al sol, sino
se chamuscan; que es gran gusto verlas a ellas tan crudas y a
ellos tan asados. En invierno acontece con la humedad nacerle
a uno de nosotros berros y arboledas en el cuerpo; no hay nieve
que se nos escape, ni lluvia que se nos pase por alto. Y todo
esto, al cabo, es para ver una mujer por red y vidrieras, como
hueso de santo; es como enamorarse de un tordo en jaula, si habla,
y si calla, de un retrato. Los favores son todos toques, que nunca
llegan a cabes, un paloteadico con los dedos; hincan las cabezas
en las rejas, y apúntanse los requiebros por las troneras; aman al
escondite. ¿Y verlos hablar quedito y de rezado? ¿Pues sufrir una
vieja que gruñe, y una portera que manda, y una tornera que
miente, y lo que mejor es, ver cómo nos piden celos de las de
acá fuera, diciendo que el verdadero amor es el suyo, y las causas tan endemoniadas que hallan para probarlo?

Al fin, yo llamaba ya señora a la abadesa, padre al vicario

y hermano al sacristán: cosas todas que con el tiempo y el
curso alcanza un desesperado. Empezáronme a enfadar las tor-
neras con despedirme, y las monjas con pedirme. Consideraba
cuán caro me costaba el infierno, que a todos se da tan barato,
y en esta vida por descansados caminos. Veía que me condena-
ba, y que me iba al infierno por solo el sentido del tacto. Si hablaba, solía —porque no me oyesen los demás que estaban en
las rejas— juntar tanto con ellas la cabeza, que por dos días siguientes traía los hierros estampados en la frente: hablaba como
sacerdote que dice las palabras de la consagración. No me veía
nadie que no me decía: "Maldito seas, bellaco monjil"; y otras
cosas peores.

Todo esto me tenía revolviendo pareceres, y casi determinado a dejar la monja, aunque perdiese mi sustento; y determinéme
el día de San Juan Evangelista, porque acabé de conocer lo que
son las monjas. No quiera vuesa merced saber más de que las
bautistas, todas se enronquecieron adrede, y sacaron tales voces,
que, en vez de cantar la misa, la gimieron; no se lavaron las
caras, y se vistieron de viejo; y los devotos de las bautistas, por
desautorizar la fiesta, trajeron banquetas en lugar de sillas a la
iglesia, y muchos pícaros del rastro.

Cuando yo vi que las unas por el un santo, y las otras por
el otro trataban indecentemente de ellos, cogiéndole a la monja
mía, con título de rifárselos, cincuenta escudos de cosas de labor
y medias de seda y bolsillos de ámbar y dulces, tomé mi camino
para Sevilla, temiendo que si más aguardaba, había de ver nacer
mandrágulas en los locutorios. Lo que la monja hizo de sentimiento, más que por lo que la llevaba que por mí, considérele
el pío lector.

CAPÍTULO ÚLTIMO

DE LO QUE ME SUCEDIÓ EN SEVILLA HASTA EMBARCARME A INDIAS

Pasé el camino de Toledo a Sevilla, prósperamente, porque, como yo tenía ya mis principios de fullero, y llevaba dados cargados con nueva pasta de mayor y de menor, y tenía la mano derecha encubridora de un dado (pues preñada de cuatro, paría tres), llevaba gran provisión de cartones de lo ancho y de lo largo para hacer garrotes de morros y ballestilla; y así no se me escapaba dinero. Dejo de referir otras muchas flores porque, a decirlas todas, me tuvieran más por ramillete que por hombre; y también porque antes fuera dar que imitar, que no referir vicios de que huyan los hombres; mas quizá declarando yo algunas chanzas y modos de hablar, estarán más avisados los ignorantes, y los que leyeren este mi discurso serán engañados por su culpa.

No te fíes, hombre, en dar tú la baraja, que te la trocarán a un despabilar de una vela: guarda el naipe de tocamientos, raspados o bruñidos, cosas con que se conocen los azares. Y por si fueres pícaro, lector, advierte que en cocinas y en caballerizas pican con un alfiler y doblan los azares, para conocerlos por lo hendido; y si tratares con gente honrada, guárdate del naipe, que desde la estampa fué concebido en pecado, y que, con traer atravesado el papel, dice lo que viene. No te fíes de naipe limpio, que al que da vista y retiene, lo más jabonado es sucio. Advierte que, a la carteta, el que hace los naipes, que no doble más arqueadas las figuras (fuera de los reyes) que las demás cartas, porque el tal doblar es por tu dinero difunto. A la primera, mira que no den de arriba las que descarta el que da, y procura que no se pidan cartas, o por los dedos en el naipe, o por las primeras letras de las palabras. No quiero darte luz de más cosas;

éstas te bastan para saber que has menester vivir con cautela,
pues es cierto que son infinitas las maulas que te callo. *Dar
muerte* llaman quitar el dinero, y con propiedad; *revesa* llaman
la treta contra el amigo, que de puro revesada no la entienden;
dobles son los que acarrean sencillos, para que los desuellen
estos rastreros de bolsas; *blanco* llaman al sano de malicia y bueno como el pan, y *negro* al que deja en blanco sus diligencias.

Yo, pues, con este lenguaje y estas flores llegué a Sevilla: con
el dinero de los camaradas gané el alquiler de las mulas, y la comida y dineros a los huéspedes de las posadas. Fuíme luego a
apear al mesón del Moro, donde me topé un condiscípulo mío de
Alcalá, que se llamaba Mata, y ahora se llama —por parecerle
nombre de poco ruido—, Matorral. Trataba en vidas, y era ten-
dero de cuchilladas, y no le iba mal; traía la muestra de ellas en
su cara, y por las que le habían dado, concertaba tamaño y
hondura de las que había de dar. Decía: "No hay tal maestro
como el bien acuchillado"; y tenía razón, porque la cara era
una cuera, y él un cuero. Díjome que me había de ir a cenar
con él y otros camaradas, que ellos me volverían al mesón.

Fuí, llegamos a su posada, y dijo: "Ea, quite vucé la capa,
parezca hombre, que verá esta noche todos los buenos hijos de
Sevilla; y porque no le tengan por maricón, ahaje ese cabello y
agobie de espaldas, la capa caída (que siempre nosotros andamos de capa caída); ese hocico de tornillo: gestos a un lado y
a otro; y haga vucé cuando hablare de la *g, h,* y de la *h, g;* y
diga conmigo: *gerido, mogino, gumo, pahería, mohar, habalí*
y *harro de vino.* Tómelo vucé de memoria". Prestóme una daga,
que en lo ancho era alfanje, y en lo largo, de comedimiento suyo
no se llamaba espada, que bien podía. "Bébase —me dijo— esa
media azumbre de vino; que si no da vaharada, no parecerá va-
liente". Estando en esto, yo con la media azumbre atolondrado,
entraron cuatro de ellos con cuatro zapatos de gotoso por caras,
andando a lo columpio, no cubiertos con las capas, sino fajados
por los lomos, los sombreros empinados sobre la frente, altas las
faldillas de delante, que parecían diademas, un par de herrerías
enteras por guarniciones de espadas y dagas; las conteras, en
conversación con el carcañal derecho; los ojos derribados, la
vista fuerte, los bigotes buídos a lo cuerno; barbas turcas, como
caballos. Hiciéronnos un gesto con la boca, y luego a mi amigo

le dijeron —con voces mohinas, sisando palabras—: "Seidor".
"So compadre", respondió mi ayo. Sentáronse; y para preguntar
quién era yo, no hablaron palabra, sino el uno miró a Matorra-
les, y abriendo la boca y empujando hacia mí el labio de abajo,
me señaló; a lo cual mi maestro de novicios satisfizo empuñando
la barba y mirando hacia abajo; y con esto se levantaron todos,
y me abrazaron; y yo lo mismo a ellos, que fué como si catara
cuatro vinos diferentes.

Llegó la hora de cenar, vinieron a servir unos pícaros, que
los bravos llaman *cañones*. Sentámonos a la mesa: aparecióse
luego el alcaparrón; empezaron —por bienvenido— a beber a
mi honra, que yo, hasta que la vi beber, no creía que tenía tantas. Vino pescado y carne, y todo con apetitos de sed. Estaba
en el suelo una artesa llena de vino, y allí se echaba de bruces el
que quería hacer la razón: contentóme la penadilla; y a dos
veces no hubo hombre que conociese al otro. Comenzaron pláticas de guerra; menudeáronse los juramentos; murieron de brindis a brindis veinte o treinta sin confesión; recetáronse al asisten-
te mil puñaladas; tratóse de la buena memoria de Domingo Tiz-
nado; derramóse vino en cantidad a la ánima de Escamilla. Los
que las cogieron tristes, lloraron tiernamente el malogrado Alonso Álvarez; y a mi compañero, con estas cosas, se le desconcertó
el reloj de la cabeza, y dijo, algo ronco, tomando un pan con
las manos y mirando la luz. "Por ésta, que es la cara de Dios,
y por aquella luz que salió por la boca del ángel, que si vucedes
quieren que esta noche hemos de dar al corchete que siguió al
pobre Tuerto". Levantóse entre ellos un alarido disforme; des-
nudando las dagas, poniendo las manos cada uno en un borde
de la artesa y echándose sobre ella de hocicos, dijeron:.

—"Así como bebemos deste vino, hemos de beber la sangre
a todo acechador.

—¿Quién es este Alonso Álvarez? —pregunté—, que tanto
se ha sentido su muerte?

—Un mancebito —dijo—, lidiador ahigadado, mozo de manos y buen compañero. Vamos, que me retientan los demonios".

Con esto salimos de casa a montería de corchetes. Yo, como
iba entregado al vino, y había renunciado en su poder más senti-
dos, no advertí al riesgo que me ponía. Llegamos a la calle de la
Mar, donde encaró con nosotros la ronda. No bien la columbra-

ron, cuando sacando las espadas, la embistieron. Yo hice lo mismo; limpiaron dos cuerpos de corchetes de sus malditas ánimas, al primer encuentro. El alguacil puso la justicia en sus pies, y apeldó por la calle arriba dando voces; no le pudimos seguir, por haber cargado delantero; y al fin nos acogimos a la iglesia Mayor, donde nos reparamos del rigor de la justicia, y dormimos lo necesario para espumar el vino que hervía en los cascos. Y vueltos ya en nuestro acuerdo, me espantaba de ver que hubiese perdido la justicia dos corchetes y huído el alguacil de un racimo de uvas, que entonces lo éramos nosotros. Pasábamoslo en la iglesia notablemente, porque al olor de los retraídos vinieron putas, desnudándose para vestirnos. Aficionóseme la Grajal, y vistióme de nuevo de sus colores; súpome bien y mejor que todas esta vida; y así, propuse de navegar en ansias con la Grajal hasta morir. Estudié la jacarandina, y en pocos días era rabí de los otros rufianes. La justicia no se descuidaba de buscarnos; rondábanos la puerta. Con todo, de media noche abajo, rondábamos disfrazados.

Yo, que vi que duraba mucho este negocio, y más la fortuna en perseguirme —no de escarmentado, que no soy tan cuerdo, sino de cansado, como obstinado pecador—, determiné, consultándolo lo primero con la Grajal, de pasarme a las Indias con ella, por ver si mudando mundo y tierras, mejoraría mi suerte. Y fuéme peor, como vuesa merced verá en la segunda parte, pues nunca mejora de estado quien muda solamente de lugar, y no de vida y costumbres.

FIN DE
"EL BUSCÓN"

INDICE

LAZARILLO DE TORMES

VIDA DEL BUSCON DON PABLOS

190　　　ÍNDICE

Esta obra se acabó de imprimir
el día 23 de septiembre de 1998, en los talleres de
OFFSET UNIVERSAL, S. A.
Calle 2, 113-3, Granjas San Antonio
09070, México, D. F.

COLECCIÓN "SEPAN CUANTOS..."*

* Los números que aparecen a la izquierda corresponden a la numeración de la Colección.

FRANCE, Anatole: Véase: **Rabelais**.

PEMAN: Véase: **Teatro Español Contemporáneo.**
PENSADOR MEXICANO: Véase: **Fábulas.**
64. PEREDA, José María de: *Peñas arriba. Sotileza.* Introducción de Soledad. Anaya
Solórzano. 30.00
165. PEREYRA, Carlos: *Hernán Cortés.* Prólogo de Martín Quirarte. 25.00
493. PEREYRA, Carlos: *Las huellas de los conquistadores.* 30.00
498. PEREYRA, Carlos: *La conquista de las rutas oceánicas. La obra de España en Amé-
rica.* Prólogo de Silvio Zavala. 35.00
188. PEREZ ESCRICH, Enrique: *El mártir del Gólgota.* Prólogo de Joaquín Antonio
Peñalosa. 35.00
69. PEREZ GALDOS, Benito: *Miau. Marianela.* Prólogo de Teresa Silva Tena. 35.00
107. PEREZ GALDOS, Benito: *Doña perfecta. Misericordia.* 30.00
117. PEREZ GALDOS, Benito: *Episodios nacionales: Trafalgar. La corte de Carlos IV.*
Prólogo de María Eugenia Gaona. 30.00
130. PEREZ GALDOS, Benito: *Episodios nacionales: 19 de marzo y el 2 de mayo.
Bailén.* 30.00
158. PEREZ GALDOS, Benito: *Episodios nacionales: Napoleón en Chamartín. Zaragoza.*
Prólogo de Teresa Silva Tena. 30.00
166. PEREZ GALDOS, Benito: *Episodios nacionales: Gerona. Cádiz.* Nota preliminar de
Teresa Silva Tena. 30.00
185. PEREZ GALDOS, Benito: *Fortunata y Jacinta. (Dos historias de casadas).* Introduc-
ción de Agustín Yáñez. 50.00
289. PEREZ GALDOS, Benito: *Episodios nacionales: Juan Martín el Empecinado. La ba-
talla de los Arapiles.* 30.00
378. PEREZ GALDOS, Benito: *La desheredada.* Prólogo de José Salavarría. 35.00
383. PEREZ GALDOS, Benito: *El amigo manso.* Prólogo de Joaquín Casalduero. 25.00
392. PEREZ GALDOS, Benito: *La fontana de oro.* Introducción de Marcelino Menéndez
Pelayo. 30.00
446. PEREZ GALDOS, Benito: *Tristana. Nazarín.* Prólogo de Ramón Gómez de la Serna. 25.00
473. PEREZ GALDOS, Benito: *Angel Guerra.* Prólogo de Emilia Pardo Bazán. 35.00
489. PEREZ GALDOS, Benito: *Torquemada en la hoguera. Torquemada en la cruz. Torquemada en el purgatorio. Torquemada y San Pedro.* Prólogo de Joaquín Casalduero. 35.00
231. PEREZ LUGIN, Alejandro: *La casa de la Troya. Estudiantina.* 25.00
235. PEREZ LUGIN, Alejandro: *Currito de la Cruz.* 25.00
263. PERRAULT, CUENTOS DE: *Griselda. Piel de asno. Los deseos ridículos. La bella
durmiente del bosque. Caperucita roja. Barba azul. El gato con botas. Las hadas.
Cenicienta. Riquete el del copete. Pulgarcito.* Prólogo de María Edmée Alvarez. 25.00
308. PESTALOZZI, Juan Enrique: *Cómo Gertrudis enseña a· sus hijos. Cartas sobre la
educación de los niños. Libros de educación elemental.* Prólogos, estudio introductivo
y preámbulos de las obras por Edmundo Escobar. 30.00
369. PESTALOZZI, Juan Enrique: *Canto del cisne.* Estudio preliminar de José Manuel
Villalpando. 25.00
492. PETRARCA: *Cancionero. Triunfos.* Prólogo de Ernst Hatch Wilkins. 35.00
221. PEZA, Juan de Dios: *Hogar y patria. El arpa del amor.* Noticia preliminar de Porfi-
rio Martínez Peñalosa. 20.00
224. PEZA, Juan de Dios: *Recuerdos y esperanzas. Flores del alma y versos festivos.* 35.00
557. PEZA, Juan de Dios: *Leyendas históricas tradicionales y fantásticas de las calles de
la ciudad de México.* Prólogo de Isabel Quiñónez. 35.00
594. PEZA, Juan de Dios: *Memorias. Reliquias y retratos.* Prólogo de Isabel Quiñónez. . . 35.00
248. PINDARO: *Odas. Olímpicas. Píticas. Nemeas. Istmicas y fragmentos de otras obras
de Píndaro. Otros líricos griegos: Arquíloco. Tirteo. Alceo. Safo. Simónides de Ceos.
Anacreonte. Baquílides.* Estudio preliminar de Francisco Montes de Oca. 25.00
13. PLATON: *Diálogos.* Estudio preliminar de Francisco Larroyo. 50.00
139. PLATON: *Las leyes. Epinomis. El político.* Estudio introductivo y preámbulos a los
diálogos de Francisco Larroyo. 40.00
258. PLAUTO: *Comedias: Los mellizos. El militar fanfarrón. La olla. El gorgojo. Anfi-
trión. Los cautivos.* Estudio preliminar de Francisco Montes de Oca. 25.00
26. PLUTARCO: *Vidas paralelas.* Introducción de Francisco Montes de Oca. 40.00
564. POBREZA Y RIQUEZA. En obras selectas del cristianismo primitivo por Carlos Ig-
nacio González S. J. 30.00
210. POE, Edgar Allan: *Narraciones extraordinarias. Aventuras de Arturo Gordon. Pym.
El cuervo.* Prólogo de Ma. Elvira Bermúdez. 30.00

TENEMOS EJEMPLARES ENCUADERNADOS EN TELA

PRECIOS SUJETOS A VARIACIÓN SIN PREVIO AVISO.

EDITORIAL PORRÚA, S. A. DE C. V.

BIBLIOTECA JUVENIL PORRÚA

LAS OBRAS MAESTRAS ADAPTADAS AL ALCANCE DE *NIÑOS Y JÓVENES* CON ILUSTRACIONES EN COLOR

PRECIO POR EJEMPLAR $ 20.00

EDITORIAL PORRÚA, S.A. DE C.V.